P9-DMF-758

votre visite à
ORSAY

ARCHITECTURE
SCULPTURE
PEINTURE
ARTS GRAPHIQUES
PHOTOGRAPHIE
CINÉMATOGRAPHE
ARTS DÉCORATIFS

Textes de Valérie Mettais

Couverture : VINCENT VAN GOGH, *Portrait de l'artiste*, Saint-Rémy-de-Provence, 1889. Huile sur toile, 65 × 54,5 cm.
Pages 8 et 9 : l'allée centrale du musée d'Orsay

COORDINATION ÉDITORIALE : DENIS KILIAN
CONCEPTION GRAPHIQUE ET RÉALISATION : MARTINE MÈNE
PLANS : THIERRY LEBRETON, DOMINIQUE BISSIÈRE
ICONOGRAPHIE : CHRISTIAN RYO
FABRICATION : PIERRE KEGELS

SOMMAIRE

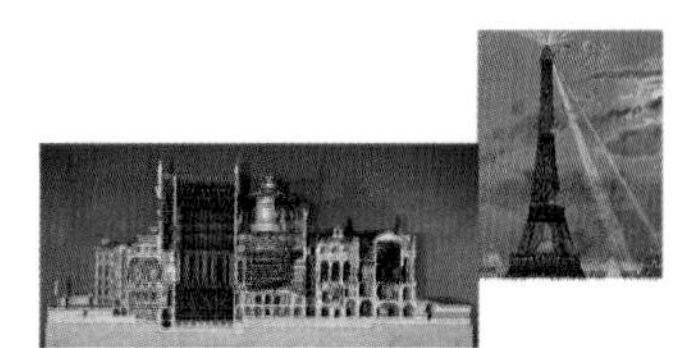

UNE GARE, UN MUSÉE

À la fin du siècle dernier, la compagnie des Chemins de fer d'Orléans acquiert des terrains où se dressent les ruines de deux édifices qui brûlèrent en 1871, sous la Commune : une caserne de cavalerie et le palais d'Orsay, ancien siège de la Cour des comptes et du Conseil d'État. Le lieu est bien situé à Paris, dans un quartier central et élégant, en bord de Seine, face aux Tuileries et, un peu plus loin, au Louvre. Il est tout indiqué pour établir le terminus du réseau desservant le sud-ouest de la France, jusque-là placé gare d'Austerlitz. L'histoire de la gare d'Orsay commence.

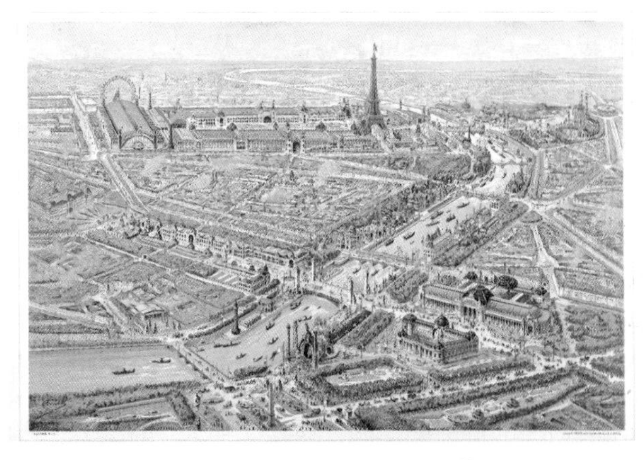

Vue de l'Exposition universelle organisée à Paris, en 1900.

IMMENSE, MODERNE

Un concours est lancé, et des trois architectes consultés Victor Laloux sort vainqueur : ce Grand Prix de Rome, habile à manier l'éclectisme de la fin du siècle, à marier styles, époques et inspirations, à cacher toute ossature métallique derrière une façade de pierre, voit son projet accepté le 21 avril 1898. Le temps presse car une Exposition universelle est prévue pour 1900. L'architecte hâte les travaux et pendant deux années trois cents ouvriers le jour et quatre-vingts la nuit creusent quinze voies sur trois mille six cent cinquante mètres au total.

Le 14 juillet est inaugurée une gare de voyageurs monumentale et moderne. Monumentale, elle arbore ses deux cent vingt mètres de long et ses soixante-quinze mètres de large, son grand hall en forme de nef culminant à trente-deux mètres et d'une portée de quarante mètres, ses douze mille tonnes de structures métalliques, ses cent dix mille mètres carrés de charpentes, ses trente-cinq mille mètres carrés de verrières... Moderne, elle possède ascenseurs, monte-charges, motrices électriques... Au XXe siècle le trafic deviendra intense, avec cent cinquante à deux cents trains quotidiens, des trains qui marchent non plus à la vapeur mais à l'électricité. Alors, pourquoi bâtir un hall d'une telle ampleur, qui a perdu sa fonction initiale : absorber la fumée des locomotives? « La fumée disparaissant, répond Victor Laloux, les grandes salles de gare devront naturellement prendre l'aspect de grandes salles décorées d'une manière plus confortable et plus luxueuse. » La gare d'Orsay est avant tout destinée à impressionner.

La gare d'Orsay au début du siècle.

TOUTE EN PIERRE, TRÈS DÉCORATIVE

À l'extérieur comme à l'intérieur déferle une même profusion ornementale. Au cœur d'un arrondissement huppé, la gare doit s'intégrer dans ce paysage urbain, exhiber une façade à pilastres pourvue de deux pavillons néo-classiques, faire montre de matériaux cossus, telle la pierre de taille. Cette gare sera « monumentale, toute en pierre, très décorative, ayant ses parties franchement accusées », souligne encore l'architecte, pour reprendre : « La pierre seule doit être

L'intérieur de la gare.

visible dans la gare à construire, la pierre seule pouvant remplacer la Cour des comptes et faire face aux Tuileries. » Mais il est bon aussi qu'elle se signale aux éventuels voyageurs : les sept entrées sur le quai, les statues allégoriques figurant les principales villes du réseau, Bordeaux, Toulouse et Nantes, les grandes horloges enfin sont quelques indices d'une activité ferroviaire. « La gare est superbe et a l'air d'un palais des Beaux-Arts, et le palais des Beaux-Arts ressemblant à une gare, je propose à Laloux de faire l'échange s'il en est temps encore », ironise le peintre Édouard Detaille en mai 1900. Quant à la voûte de la nef, s'inspirant du décor des basiliques et des thermes romains, elle est recouverte de caissons de staff sculptés et peints. Et l'hôtel qui jouxte la gare déploie luxe et trompe-l'œil.

La grande horloge de l'allée centrale.

Des décors et des ors

« Hôtel du palais d'Orsay, quai d'Orsay, vaste bâtiment à hall imposant où flotte encore une atmosphère matinale, somnolente. À la réception, on nous indique une chambre au second étage. Elle se présente très bien avec sa petite antichambre et le bain contigu mais sous le rapport de la commodité, elle laisse à désirer. Que diable, on a besoin d'une commode. Nous aurions volontiers troqué la cheminée obligatoire à pendule dorée contre un meuble où caser notre linge », se souvient Thomas Mann dans son *Bilan parisien* de 1926.
S'élevant sur cinq étages, dressé tout autour du pignon de la gare, cet hôtel possède trois cent soixante-dix chambres confortables ; Victor Laloux dessine et peaufine le décor de chaque pièce, de chaque recoin, des salons au fumoir, décide de l'intervention de chaque peintre, sculpteur et ornemaniste, supervise le travail de tous.
Nichant dans le pavillon aval, la salle des fêtes regorge d'ors et de stucs, de boiseries sculptées, de dessus-de-porte et de miroirs, de luminaires-guirlandes et autres lustres de cristal ; elle a été conservée, restaurée et loge aujourd'hui quelques témoignages de l'art officiel de la IIIe République. La salle à manger, qui a pris pour thème les charmes des jours et des saisons, peints dans des tonalités bleutées, est devenue le restaurant du musée d'Orsay.

Le musée d'Orsay vu de la rive droite.

Détruire une vieille bâtisse

Les tristes années 30 mettent un terme à l'activité débordante de la gare ; en 1939, l'une des fiertés de l'Exposition universelle est désuète, mal commode pour les nouveaux convois, et le trafic grandes lignes est supprimé. Au retour de la guerre, ce n'est plus qu'une station de banlieue. La fin est proche : la gare est désaffectée, définitivement. Alors commence une longue et morne période durant laquelle vide, monumentale, elle rend tous les services, attendant à partir des années 60 une probable démolition. Elle pose le décor du *Procès*, tourné par Orson Welles en 1962 ; et jusqu'en 1980 sa nef abrite la compagnie de théâtre Renaud-Barrault puis celle des commissaires-priseurs de la salle des ventes Drouot-Rive gauche.
La gare allait-elle être rasée et remplacée par un centre de congrès doté d'un grand hôtel international ? Plusieurs projets sont soumis en 1970, parmi lesquels celui de Le Corbusier – non retenu –, consistant en un édifice haut d'une centaine de mètres. Mais les temps changent, et l'architecture du XIXe siècle retrouve de la faveur :

La salle à manger de l'hôtel de la gare d'Orsay, aujourd'hui restaurant du musée.

les façades et les décors de la gare et de son hôtel sont protégés en 1973, classés en 1978, l'idée d'un musée consacré à ce siècle dernier prend forme peu à peu. L'aventure du musée d'Orsay a commencé.

De la République à la guerre : 1848-1914

La réorganisation du lieu doit être envisagée afin d'exposer les œuvres d'art de la seconde moitié du XIXe siècle, appartenant à la plupart des domaines et des techniques, reflétant l'ensemble des courants qui furent contemporains, s'ignorèrent ou s'opposèrent, avant-gardes ou académismes, témoignant de la période comprise entre l'avènement de la IIe République et la déclaration de la Première Guerre mondiale. 1848-1914 : plus de soixante années de créations culturelle et artistique, prises dans leur temps, vont se déployer dans une gare bientôt métamorphosée en musée et qui figure la première œuvre de ce musée.
L'architecture, la sculpture, la peinture, les arts graphiques, la photographie, le cinématographe, les arts décoratifs... sont tous présentés. Sans oublier la musique, la littérature..., abordées par des expositions, ou l'évocation de l'histoire.

L'allée centrale.

La prospection des œuvres

Pour composer cette vision panoramique, le musée d'Orsay accueille des collections nationales aux origines diverses : les peintures impressionnistes du musée du Jeu de Paume, des œuvres provenant de l'ancien musée d'Art moderne, et d'autres, nombreuses, issues du Louvre. Il mène des prospections dans les réserves des musées, dans les mairies ou les préfectures, en province ou à Paris, afin de retrouver les traces de cet art officiel, qui jadis fut commandé par l'État, exposé au Salon et acquis par le musée du Luxembourg, le « musée des artistes vivants » du XIXe siècle. S'il a depuis longtemps déserté les cimaises car peu apprécié, il est désormais invité à gagner celles, toutes neuves, de la gare d'Orsay.
Combler des lacunes, tel est enfin le but des diverses acquisitions, en particulier dans le domaine des arts décoratifs, dans les manifestations de l'Art nouveau international. Des achats, des dations, des dons et des legs de mécènes ou d'héritiers d'artistes enrichissent encore le musée. À cette approche pluridisciplinaire s'ajoutent, en parallèle, la sauvegarde, la mise en valeur et la transformation radicale d'une gare.

Vue d'une terrasse de sculptures, côté Seine, au niveau médian.

Autres espaces, autre orientation

En 1979, l'agence ACT est l'heureuse élue parmi les six architectes consultés. Dirigée par Renaud Bardon, Pierre Colboc et Jean-Paul Philippon, elle remet un avant-projet détaillé en 1982 ; les travaux débutent un an plus tard. À cette réflexion portant sur la réorganisation spatiale s'associe ensuite celle menée par Gae Aulenti, architecte et designer milanaise, chargée de concevoir l'aménagement intérieur, le parcours muséographique, les équipements et le mobilier.
Le point fort est de conférer aux espaces existants une réorientation générale. Si le voyageur de 1900 pénétrait par l'une des portes

Vue d'une terrasse de sculptures, côté Seine, au niveau médian.

donnant sur le quai, accédait au vestibule à coupoles et sortait par la rue de Bellechasse, il en est tout autrement pour le visiteur du XXe siècle. Tandis que la façade nord, en bordure de Seine, est fermée – seule subsiste une entrée pour une salle d'expositions temporaires –, la mesure longitudinale de l'édifice est privilégiée et renforcée, se déployant sur les cent trente-huit mètres de la nef – arrêtée à l'est et à l'ouest par deux tympans –, selon le sens des anciennes voies ferrées ; afin de laisser le sous-sol libre, ces dernières sont déplacées sous le quai, sous l'ancien porche de la gare. Devant un parvis prolongé rue de Bellechasse, la grande marquise métallique devient l'entrée du musée. À l'intérieur dialoguent les anciens lieux de la gare et les nouvelles salles du musée.

L'entrée du musée, rue de Bellechasse.

UNE VOIE, DES TERRASSES, UN COMBLE...

Le premier regard est surplombant : situé en haut du grand escalier, il découvre sous la voûte à demi-vitrée l'allée centrale qui, peu à peu, s'élève par paliers. Tout au fond, l'œil est arrêté par la verticalité de deux tours symétriques, fermant la perspective et offrant aux sculptures monumentales exposées un cadre architectural – ainsi pour *La Danse* de Carpeaux. À l'est, le pavillon amont, l'un des deux pavillons à horloge, réserve ses cinq niveaux à l'architecture et aux arts décoratifs.

De part et d'autre de cette voie royale sont disposées des salles surmontées de terrasses ; au nord, salles et terrasses ouvrent sur des espaces créés dans les anciens porche et vestibule, avec vue sur la Seine ; au sud, elles mènent à d'autres salles aménagées dans l'aile de l'hôtel, le long de la rue de Lille.

Le comble du vestibule avait à l'origine pour seule fonction de dissimuler la nef ; dépourvu de sol, sorte de volume inutile, il révèle en revanche une qualité précieuse : la lumière naturelle y est largement présente grâce à une verrière zénithale. Cette lumière semble en appeler une autre, celle des tableaux impressionnistes qui trouvent ainsi leur place tout en haut, dans une suite de salles.

Allégories des Continents, exposées sur le parvis,
à l'angle des rues de Lille et de Bellechasse.
Bronzes réalisés pour l'Exposition universelle de 1878.

... ET DES COULEURS

Si l'ancien et le moderne ont entamé un dialogue, l'utilisation de la couleur vise à éviter la moindre fusion : tandis que les différents verts signalent les parties propres à l'architecture du XIXe siècle, les bruns foncés soulignent ce qui relève de l'intervention du siècle suivant. Un calcaire de Buxy, pierre blonde de Bourgogne, revêt les sols et la plupart des surfaces verticales, répondant par ses nuances ocrées à celles des caissons de la voûte, reconstitués d'après les originaux.

Après des années d'études et de travaux, le musée, la gare et son hôtel ont dévoilé la mise en scène qui a présidé à l'accrochage des œuvres, disposées sur trois niveaux, selon un parcours chronologique. C'était le 1er décembre 1986.

Vue d'une terrasse de sculptures,
côté rue de Lille, au niveau médian.

REZ-DE-CHAUSSÉE

SCULPTURE

- Allée centrale : sculpture 1840-1875, Carpeaux
- 2 Barye
- 4 Daumier

PEINTURE

- 1 Ingres et l'ingrisme
- 2 Delacroix, Chassériau
- 3 Peinture d'histoire et portrait 1850-1880
- 4 Daumier
- 5 Collection Chauchard
- 6 Millet, Rousseau, Corot
- 7 Courbet
- 11 Puvis de Chavannes
- 12 Gustave Moreau
- 13 Degas avant 1870
- 14 Manet avant 1870
- 15 Fantin-Latour
- 16 Paysage de plein air
- 17 Pastels
- 18 Monet, Bazille, Renoir avant 1870
- 19 Collection Personnaz
- 20 Collection Mollard
- 21 Pastels
- 22 Réalisme
- 23 Orientalisme

ARTS DÉCORATIFS

- 9, 10 Éclectisme, 1850-1880

ARCHITECTURE ET ARTS DÉCORATIFS

- 24 Maquettes et décors
- 25-26-27-27bis Architecture et mobilier de William Morris à Frank Lloyd Wright (niveau 2, 3 et 4)

EXPOSITIONS – DOSSIERS

Salle 8
Salle de l'Opéra

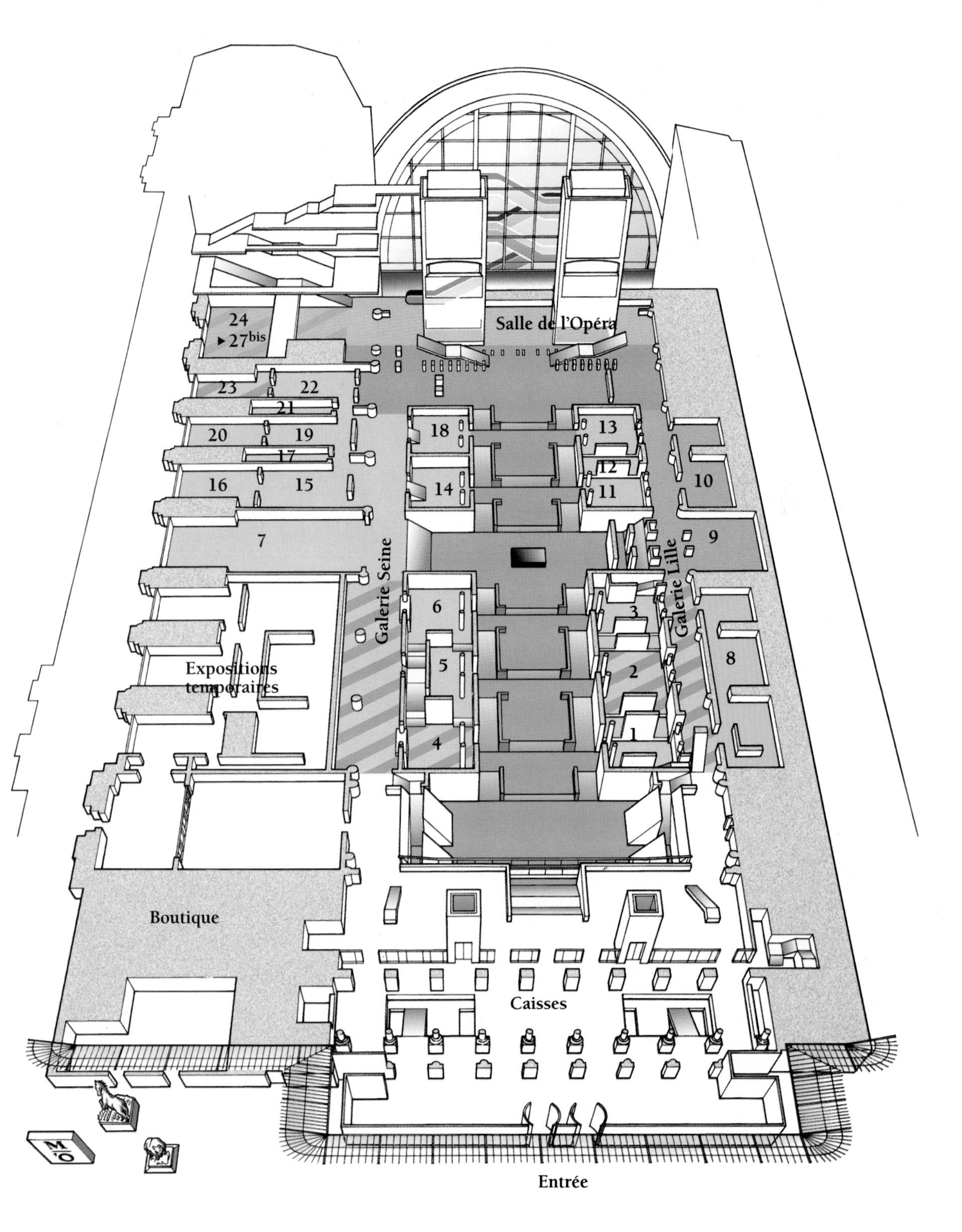

Les œuvres sont réparties dans des salles numérotées ; elles sont parfois déplacées ou ôtées selon les prêts accordés pour une exposition.

NIVEAU SUPÉRIEUR

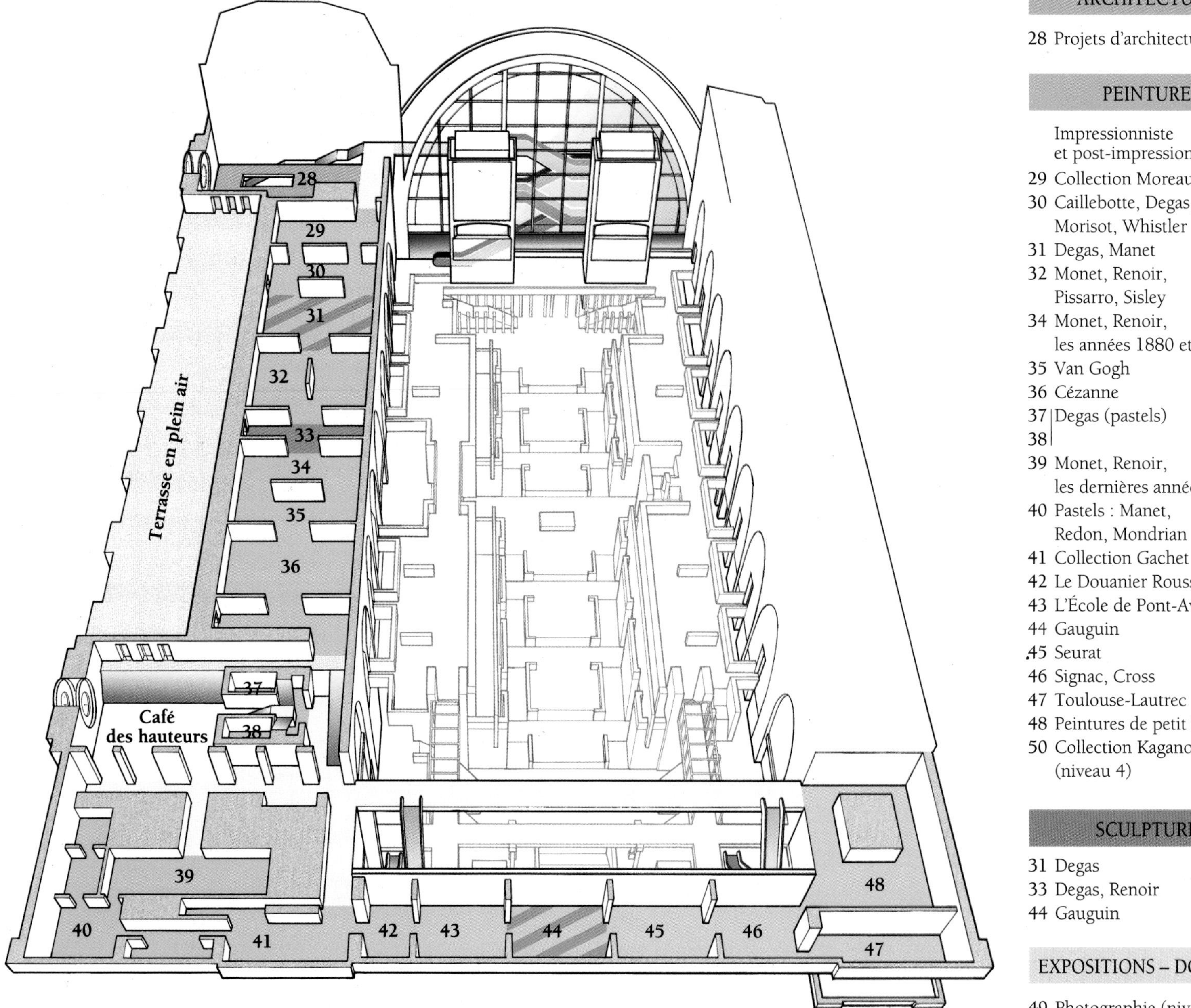

ARCHITECTURE

28 Projets d'architecture

PEINTURE

Impressionniste
et post-impressionniste

29 Collection Moreau-Nélaton
30 Caillebotte, Degas, Morisot, Whistler
31 Degas, Manet
32 Monet, Renoir, Pissarro, Sisley
34 Monet, Renoir, les années 1880 et 1890
35 Van Gogh
36 Cézanne
37 | Degas (pastels)
38 |
39 Monet, Renoir, les dernières années
40 Pastels : Manet, Redon, Mondrian
41 Collection Gachet
42 Le Douanier Rousseau
43 L'École de Pont-Aven
44 Gauguin
45 Seurat
46 Signac, Cross
47 Toulouse-Lautrec
48 Peintures de petit format
50 Collection Kaganovitch (niveau 4)

SCULPTURE

31 Degas
33 Degas, Renoir
44 Gauguin

EXPOSITIONS – DOSSIERS

49 Photographie (niveau 4)

NIVEAU MÉDIAN

51 Salle des fêtes

SCULPTURE

52 | Art et décors
53 | de la IIIe République
54 Monuments publics
56 Dalou
57 Troubetzkoy
- Terrasse Seine : Barrias, Coutan, Fremiet
- Terrasse Rodin
- Terrasse Lille : Bourdelle, Maillol, Pompon, J. Bernard

PEINTURE

55 Naturalisme
57 Blanche, Boldini, Helleu
58 Naturalisme
59 Symbolisme
62 Redon
70 Denis, Valloton, Roussel
71 Vuillard
72 Bonnard

ARTS DÉCORATIFS

Art nouveau :
61 Mobilier belge, arts précieux
62 Céramique
63 Carabin, Gallé, verrerie
64 Guimard, École de Nancy
65 Pays du nord de l'Europe, Dampt
66 Charpentier, Carriès

EXPOSITIONS – DOSSIERS

Salles 67, 68 et 69

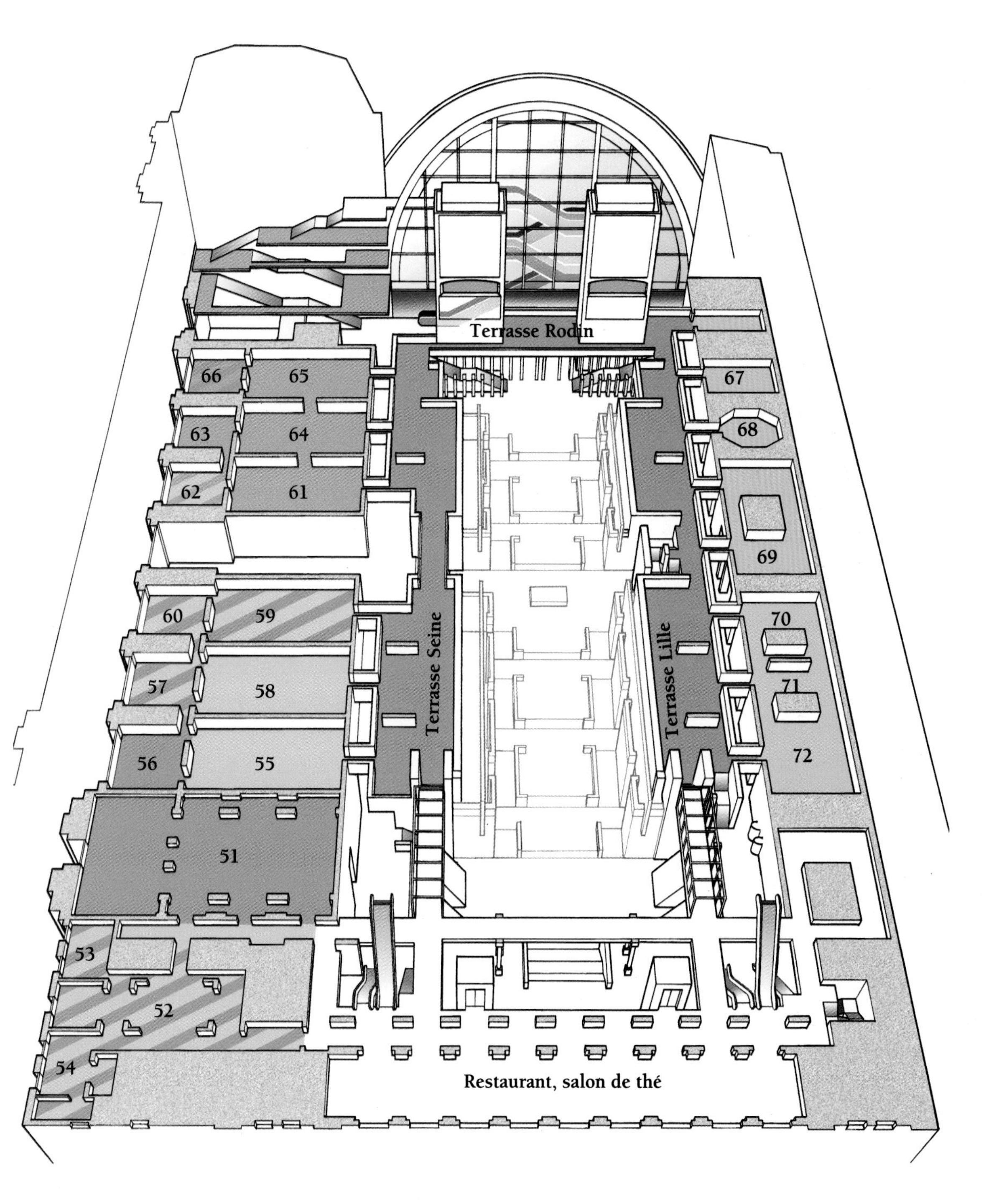

ARCHITECTURE

RUTILANCE

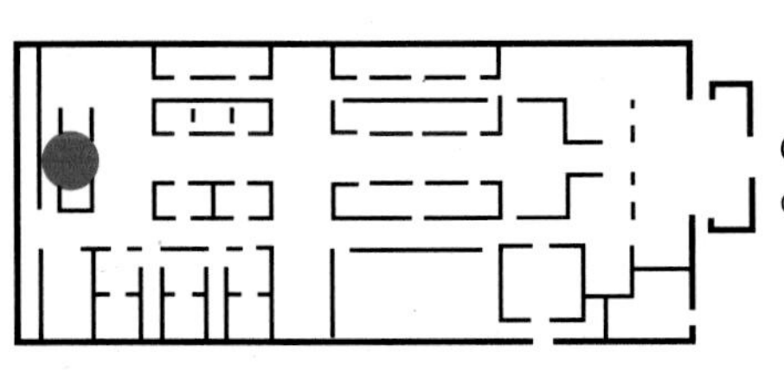

Cette maquette est située au rez-de-chaussée, dans la salle de l'Opéra.

Quand l'Opéra de Paris est inauguré en 1875, il est le plus grand du monde, offrant aux chanteurs et aux danseurs une scène de vingt-sept mètres de profondeur et de quarante-huit mètres de largeur. Les spectateurs disposent de plus de deux mille places. L'un des partis pris de l'architecte est non pas de tendre vers une unité, extérieure ou intérieure, mais au contraire d'assembler et de faire se succéder des espaces différenciés – chacun possède ainsi sa couverture propre. Le parcours s'ouvre par le vestibule et, au premier étage, par le foyer, puis il emprunte le grand escalier, pénètre dans la salle, face à la scène et à sa machinerie, et s'achève au foyer de la danse. L'ensemble est placé sous le signe de la rutilance, du marbre, du granit, du porphyre, de la mosaïque, du bronze, des ors…

L'OPÉRA DE PARIS,
par Charles Garnier,
1861-1875.
Maquette de la coupe longitudinale de l'édifice, réalisée par l'Atelier, à Rome, sous la direction de Richard Peduzzi, 1982-1986.

À gauche : le grand foyer.

Page de droite : la salle.

DÉCORS POLYCHROMES

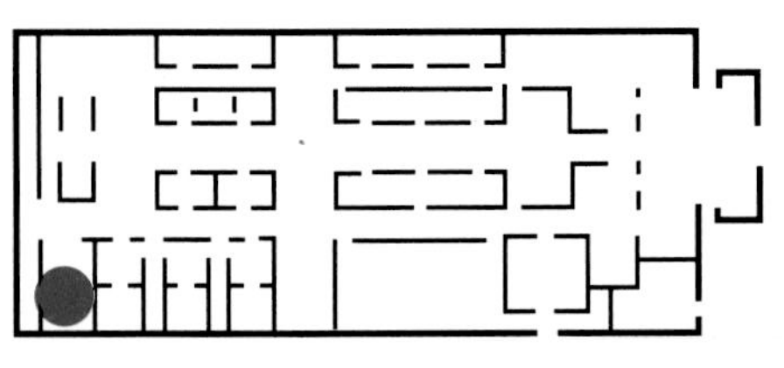

Ces œuvres sont situées
au rez-de-chaussée, dans la salle 24.

Eugène Viollet-le-Duc,
Peintures murales
des chapelles de Notre-Dame de Paris,
vers 1866-1867.
Reliefs réalisés d'après les planches
de l'ouvrage de l'architecte.

« Restaurer un édifice, ce n'est pas l'entretenir, le réparer ou le refaire, c'est le rétablir dans un état complet qui peut n'avoir jamais existé à un moment donné. » La définition est énoncée dans le *Dictionnaire raisonné de l'architecture française*. Son auteur est Viollet-le-Duc, architecte, responsable de grands chantiers de restauration sous le second Empire, historien, professeur, passionné d'art médiéval... Son intervention à Notre-Dame possède pour nous un intérêt : rappeler la place de la polychromie dans l'esthétique du Moyen Âge, révéler l'importance des surfaces colorées dans l'espace d'une cathédrale, soulignant ici le rythme d'un pilier, là celui d'un chapiteau.

TROIS CENTS MÈTRES, HUIT MILLE TONNES

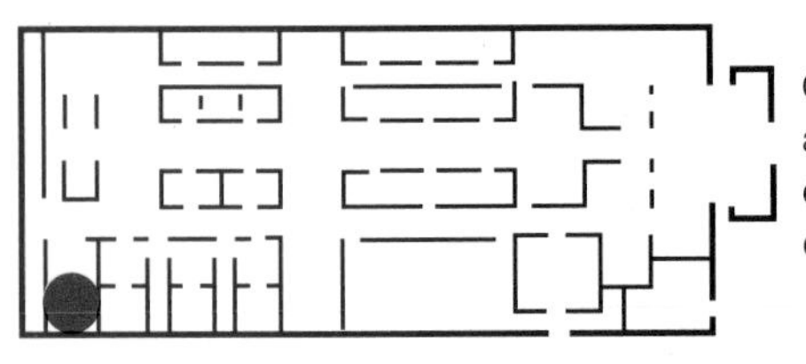

Ces œuvres appartiennent aux collections d'architecture exposées au rez-de-chaussée, dans la salle 24.

Elle se dressa en moins de deux années sur le Champ-de-Mars, du 28 janvier 1887, premier jour de travail des terrassiers qui creusèrent ses fondations à quinze mètres de profondeur, jusqu'au 31 mars 1889, date de l'inauguration de l'Exposition universelle qui commémorait le centenaire de la Révolution. Du haut de ses 320,75 mètres et de ses 1 710 marches, elle domine Paris, profilant à l'horizon une silhouette lourde de 8 564 tonnes. Deux cents ouvriers, qu'on dénomma les « charpentiers du ciel », assemblèrent et rivetèrent ses pièces métalliques. La tour de l'ingénieur Gustave Eiffel fut de toutes les réjouissances, feux d'artifice et illuminations. Sereine, elle attend l'an 2000 pour fêter ses cent onze ans.

Vue de la tour Eiffel avec, à ses pieds, quelques maisons appartenant à « L'Histoire de l'habitation humaine » de Charles Garnier.
Couverture du *Figaro Exposition*, 1889.

Ci-contre :
Hommage à M. Gustave Eiffel.
Affiche de l'Exposition universelle de 1889.

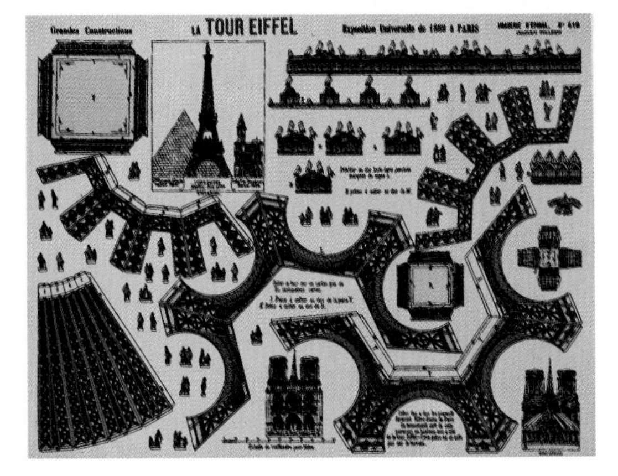

En haut :
Vue générale de l'Exposition universelle de 1900.

Ci-dessus :
JEU DE CONSTRUCTION, réalisé pour l'Exposition universelle de 1889.

Page de droite :
L'Embrasement de la tour Eiffel pendant l'Exposition universelle de 1889.

SCULPTURE

LA VIE D'UNE STATUE

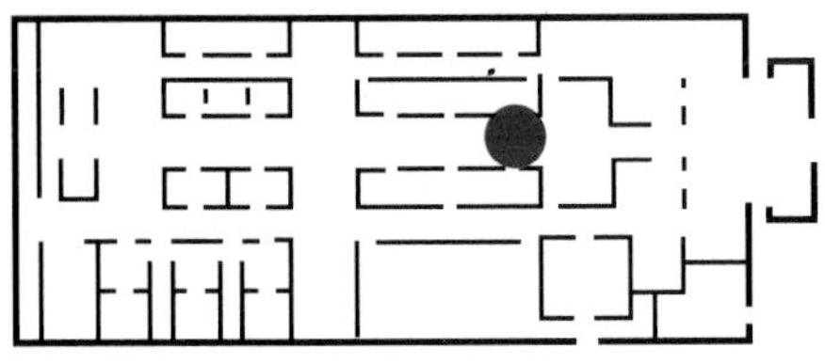

Qu'il soit drapé ou dénudé, qu'il appartienne à une simple mortelle piquée par un serpent ou qu'il figure une déesse, le corps féminin a été tant aimé des sculpteurs qu'un récit mythique l'a placé au centre de leur art. Pygmalion était roi de Chypre, raconte-t-on. Il sculpta dans l'ivoire une statue si gracieuse qu'il s'en éprit et demanda à la déesse de l'Amour et de la Beauté de lui donner une telle créature. Vénus l'exauça, et ce qui avait été fait de main d'homme reçut une âme ; la statue devint l'épouse du souverain et reçut le nom de Galatée.

AUGUSTE CLÉSINGER,
Femme piquée par un serpent, 1847.
Marbre, l : 180 cm.
Le modèle est Apollonie Aglaé Sabatier, égérie de nombreux artistes de l'époque.

IVRESSE DE LA DANSE

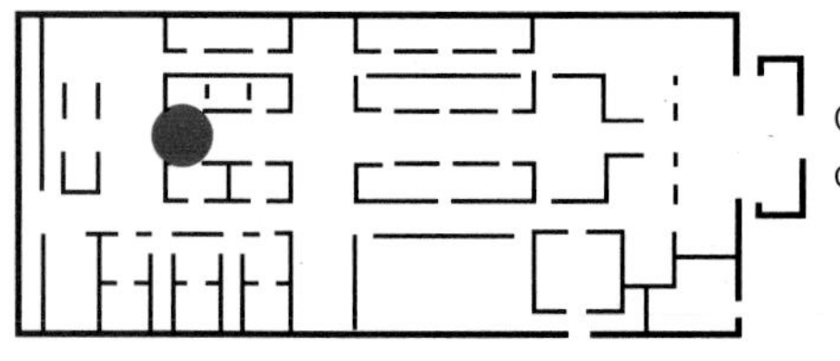

Ces œuvres sont situées au rez-de-chaussée, dans l'allée centrale.

JEAN-BAPTISTE CARPEAUX,
Le Prince impérial et son chien Néro, 1865.
Marbre, h : 140 cm.

Page de droite :
JEAN-BAPTISTE CARPEAUX,
La Danse,
décor de la façade de l'Opéra
commandé par Charles Garnier,
1865-1869. Pierre, h : 420 cm.
Une copie a été placée à l'Opéra de Paris.

Tous les honneurs du second Empire ont été rendus à Carpeaux. Professeur de dessin et de sculpture du jeune prince Eugène Louis, il est aussi apprécié du surintendant des Beaux-Arts, le comte de Nieuwerkerke, et fréquente les salons de la princesse Mathilde, la cousine de Napoléon III. Les commandes officielles le comblent : après avoir travaillé au pavillon de Flore du palais du Louvre, le sculpteur est choisi pour collaborer à l'un des projets les plus emblématiques du régime, l'Opéra. Une telle protection impériale n'empêche pas les scandales et les rejets. L'allégorie de la Danse fait grand bruit pour la frénésie exaltée, vivante, de ses bacchantes modernes.

JEAN-BAPTISTE CARPEAUX,
Ugolin, 1862.
Bronze, h : 194 cm.

EN TERRE ET EN PLÂTRE

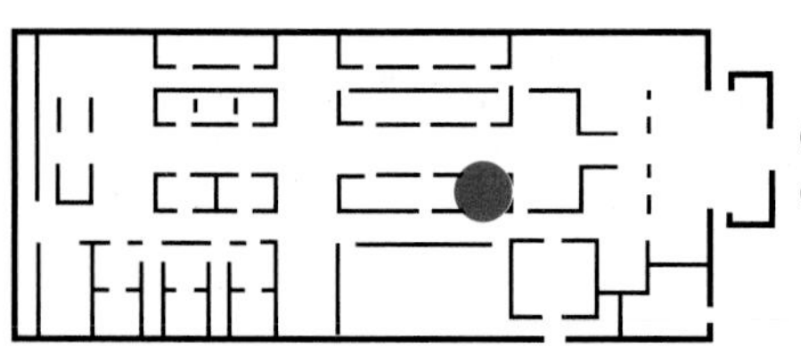

Ces œuvres sont situées au rez-de-chaussée, dans la salle 4.

Les visages sont boursouflés, les allures engoncées et grimaçantes, les pommettes rougies. En 1831, Daumier a vingt-trois ans et croque dans la terre quelques spécimens louis-philippards, tenant lieu d'esquisses aux portraits-charges qui paraîtront dans le journal *La Caricature*. « Nul comme celui-là n'a connu et aimé (à la manière des artistes) le bourgeois, ce dernier vestige du Moyen Âge, cette ruine gothique qui a la vie si dure, ce type à la fois si banal et si excentrique », admire Charles Baudelaire en 1857. En regard, le traitement des émigrants, figures anonymes réparties par masses, paraît plus tragique encore.

Honoré Daumier, *Les Célébrités du Juste Milieu* ou *Les Parlementaires*, 1831.
Trente-six bustes en terre crue peinte, h : entre 12 et 22 cm.

De gauche à droite : le magistrat Félix Barthe, l'homme politique Joseph de Podenas, le député Pierre-Paul Royer Collard, le général Horace-François Sébastiani, le ministre de l'Intérieur François Guizot et le député Auguste de Kératry.

Honoré Daumier, *Les Émigrants*, 1848.
Plâtre, 28 × 66 cm.

LE CORPS DES HOMMES

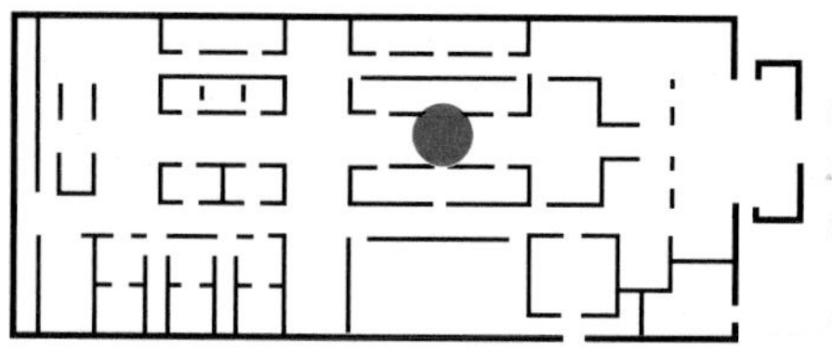

Ces œuvres sont situées au rez-de-chaussée, dans l'allée centrale, et au niveau médian, sur la terrasse côté rue de Lille.

Pour tout sculpteur, l'étude du nu est le passage obligé. Parce que la connaissance de l'anatomie, une connaissance théorique et pratique, est considérée comme la base de l'apprentissage à l'École des beaux-arts, l'élève travaille face au modèle vivant et médite les leçons laissées par la statuaire de l'Antiquité et de la Renaissance. Héros mythologiques, rois de l'histoire biblique, simples faucheurs et paysans sont autant de sujets permettant aussi d'appliquer des canons de proportions.

Ci-dessus :
JULES DESBOIS,
Torse d'homme,
fragment du *Rocher de Sisyphe*,
1910. Bronze doré,
h : 128 cm.

Page de droite :
ANTONIN MERCIÉ,
David (détail), 1872.
Bronze, h : 184 cm.

EUGÈNE GUILLAUME,
Le Faucheur, 1849.
Bronze, h : 168 cm.

HIPPOLYTE MOULIN (à gauche),
Trouvaille à Pompéi, 1863.
Bronze, h : 187 cm.
ALEXANDRE FALGUIÈRE (à droite),
Vainqueur au combat de coqs, 1864.
Bronze, h : 174 cm.

CROQUIS DE CIRE

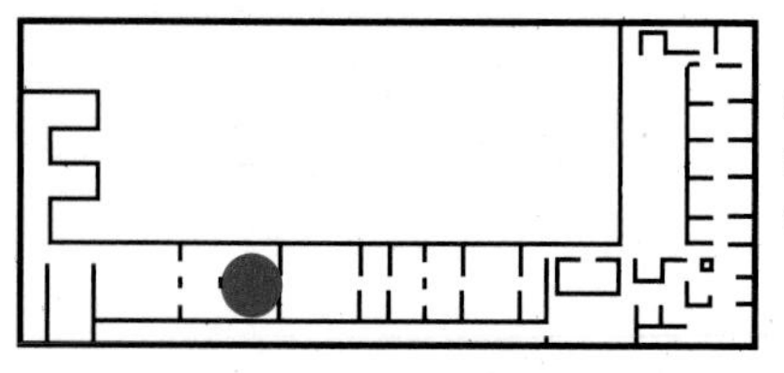

Ces œuvres sont situées au niveau supérieur, dans la salle 31.

EDGAR DEGAS,
Danseuse de quatorze ans de la petite classe de l'Opéra modelée aux 3/4 de la nature, dite *Grande Danseuse habillée,* exposée en 1881 à la sixième exposition impressionniste.
Bronze d'après la cire originale, tulle et satin rose, h : 98 cm.

« C'est pour ma seule satisfaction que j'ai modelé en cire bêtes et gens, non pour me délasser de la peinture et du dessin, mais pour donner à mes peintures, à mes dessins, plus d'expression, plus d'ardeur et plus de vie, confie Degas à un journaliste en 1897. Ce sont des exercices pour me mettre en train ; du document, sans plus. » Puis : « Ce qu'il me faut, à moi, c'est exprimer la nature dans tout son caractère, le mouvement dans son exacte vérité, accentuer l'os et le muscle, et la fermeté compacte des chairs. » L'atelier de ce peintre qui sculptait pour mieux peindre révéla à sa mort quelque cent cinquante croquis faits de cire ou de terre, qui n'avaient jamais été exposés. Seule fut exhibée une grande danseuse, impressionnant par sa troublante présence.

EDGAR DEGAS,
Danseuse mettant son bas.
Bronze, h : 47 cm.

En haut, à gauche :
EDGAR DEGAS,
Danseuse, grande arabesque.
Bronze, h : 40 cm.

EDGAR DEGAS,
Danseuse tenant son pied droit de sa main droite.
Bronze, h : 53,6 cm.

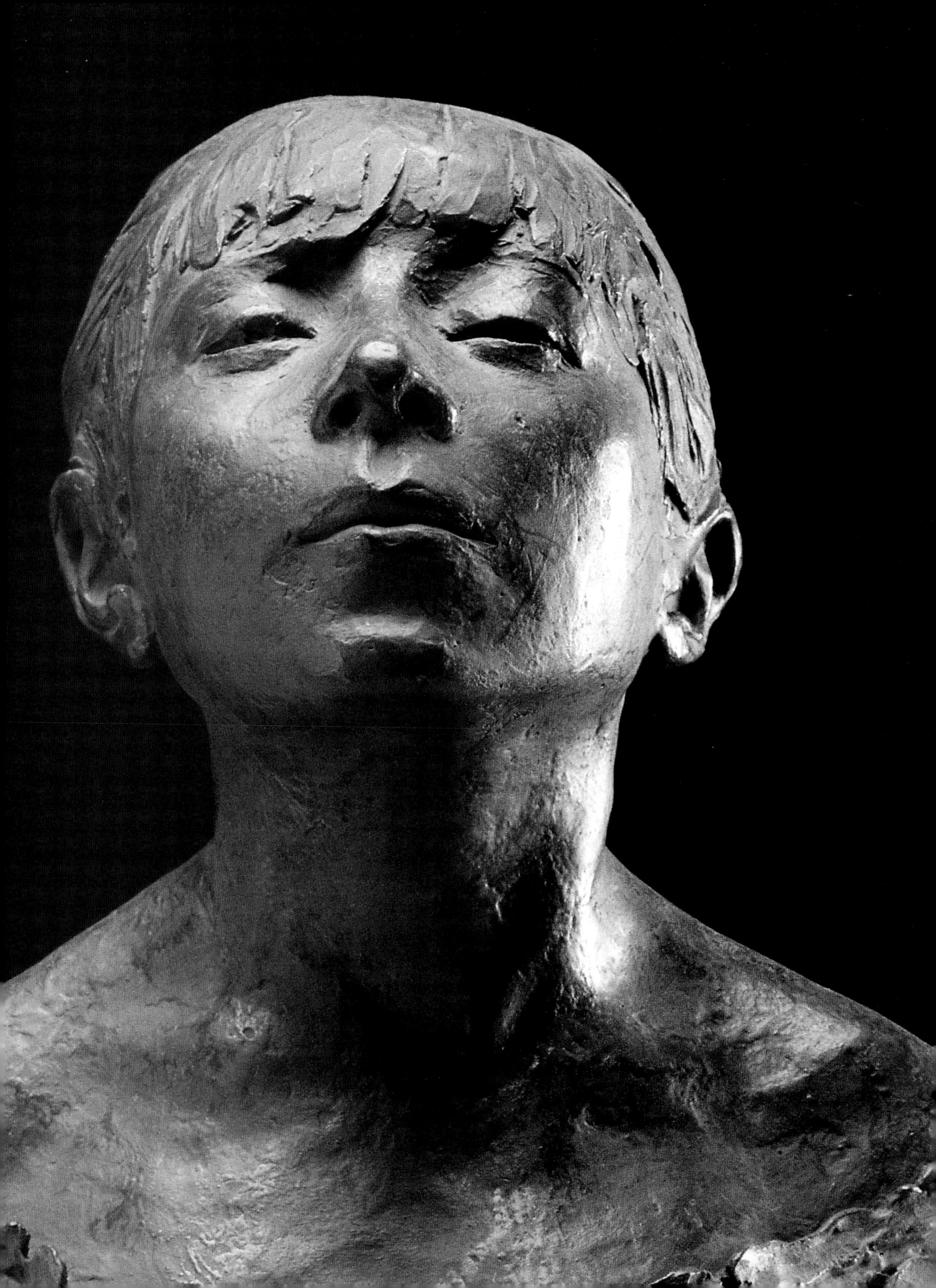

FRAGMENTS DE L'ENFER

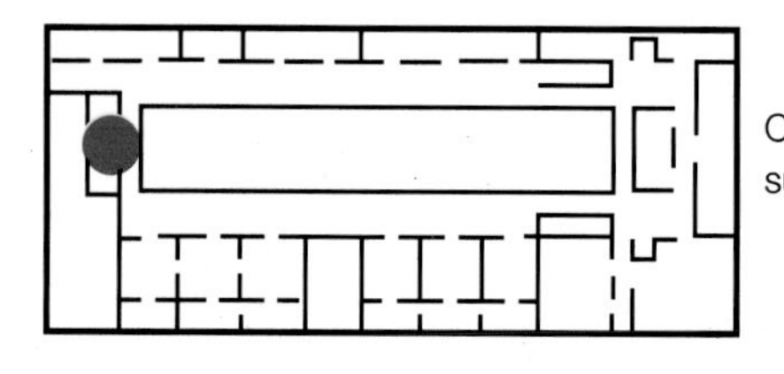

Ces œuvres sont situées au niveau médian, sur la terrasse Rodin et sur la terrasse côté Seine.

AUGUSTE RODIN,
La Porte de l'Enfer,
1880-1917. Plâtre,
h : 635 cm.

À gauche :
AUGUSTE RODIN,
Balzac, 1898.
Plâtre, h : 275 cm.
Photographie
d'EDWARD STEICHEN,
1908.

« On devine soudain qu'envisager le corps comme un tout est plutôt l'affaire du savant, et celle de l'artiste de créer, à partir de ces éléments, de nouvelles relations, de nouvelles unités, plus grandes, plus légitimes, plus éternelles ; et cette richesse inépuisable, cette invention infinie, perpétuelle, cette présence de l'esprit, cette pureté et cette véhémence de l'expression, cette jeunesse, ce don d'avoir sans cesse autre chose, sans cesse mieux à dire, sont sans équivalent dans l'histoire humaine » : en septembre 1902, Rainer Maria Rilke a découvert l'atelier du sculpteur, peuplé de plâtres, de fragments, d'études de contorsions, de cambrures, de corps décharnés. Une esthétique à laquelle appartient aussi l'œuvre de Camille Claudel.

CAMILLE CLAUDEL,
L'Âge mûr, 1893-1903.
Bronze, h : 114 cm.

PLÉNITUDE DU BRONZE

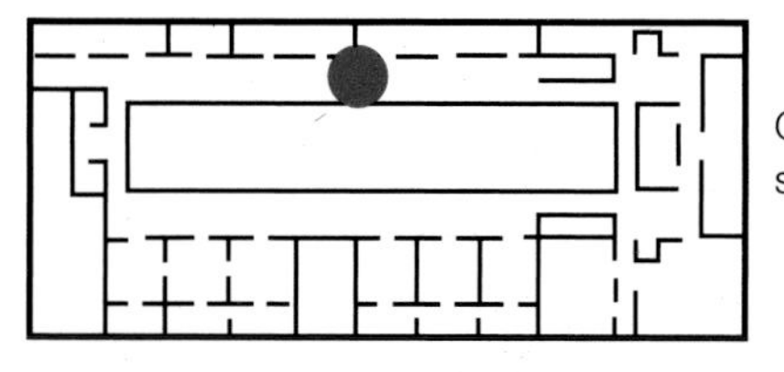

Ces œuvres sont situées au niveau médian, sur la terrasse côté rue de Lille.

ÉMILE ANTOINE BOURDELLE,
Héraklès archer, 1909.
Bronze doré, h : 248 cm.

En bas, à gauche :
ARISTIDE MAILLOL,
Méditerranée, 1905.
Bronze, h : 110 cm.

Ci-dessous :
ARISTIDE MAILLOL,
Ève à la pomme, 1899.
Bronze, h : 58 cm.

Vert sombre, brun, noir, doré : le bronze se prête à d'infinies nuances, à des effets d'animation de surface, de glissement de lumière. Tout est affaire de proportion, entre le cuivre, qui offre sa résistance, et l'étain, qui donne la fluidité. Avec 95 % de cuivre l'alliage tire au rouge, en dessous de 85 % il devient jaune clair ; du plomb est parfois ajouté. La patine est la touche ultime, qu'elle soit naturelle – la simple oxydation colore le métal –, qu'elle soit artificielle, fine ou épaisse, concoctée à l'aide de solutions acides. Sculpteurs, fondeurs et patineurs ont chacun leurs secrets.

PEINTURE CLASSIQUE

DU STYLE

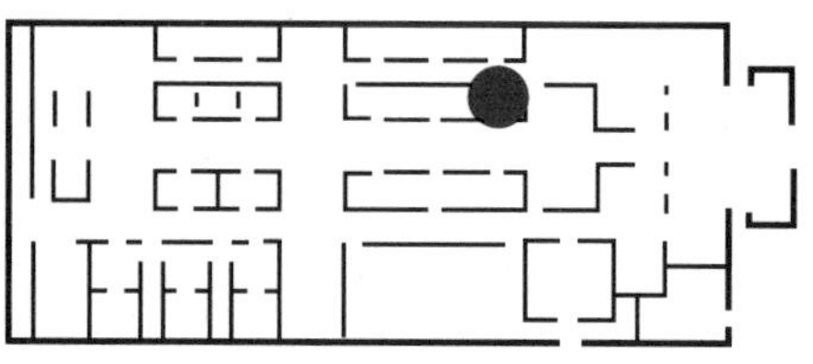

Ces œuvres sont situées au rez-de-chaussée, dans la salle 1.

Jean Auguste Dominique Ingres, *La Source*, 1820-1856. Huile sur toile,163 × 80 cm.

Jean-Léon Gérôme, *Jeunes Grecs faisant battre des coqs*, 1846. Huile sur toile, 143 × 204 cm.

Visitant l'Exposition universelle de 1855, à Paris, Charles Baudelaire s'arrête longuement devant les œuvres d'Ingres, le grand maître du siècle, qui a transmis à ses élèves le goût pour un beau idéal, un idéal antique. Il s'attarde sur la qualité de son dessin, sur sa conception de la nature : « emporté par cette préoccupation presque maladive du style, le peintre supprime souvent le modelé ou l'amoindrit jusqu'à l'invisible, espérant ainsi donner plus de valeur au contour, si bien que ses figures ont l'air de patrons d'une forme très-correcte, gonflés d'une matière molle et non vivante, étrangère à l'organisme humain. Il arrive quelquefois que l'œil tombe sur des morceaux charmants, irréprochablement vivants ; mais cette méchante pensée traverse alors l'esprit, que ce n'est pas M. Ingres qui a cherché la nature, mais la nature qui a violé le peintre, et que cette haute et puissante dame l'a dompté par son ascendant irrésistible ».

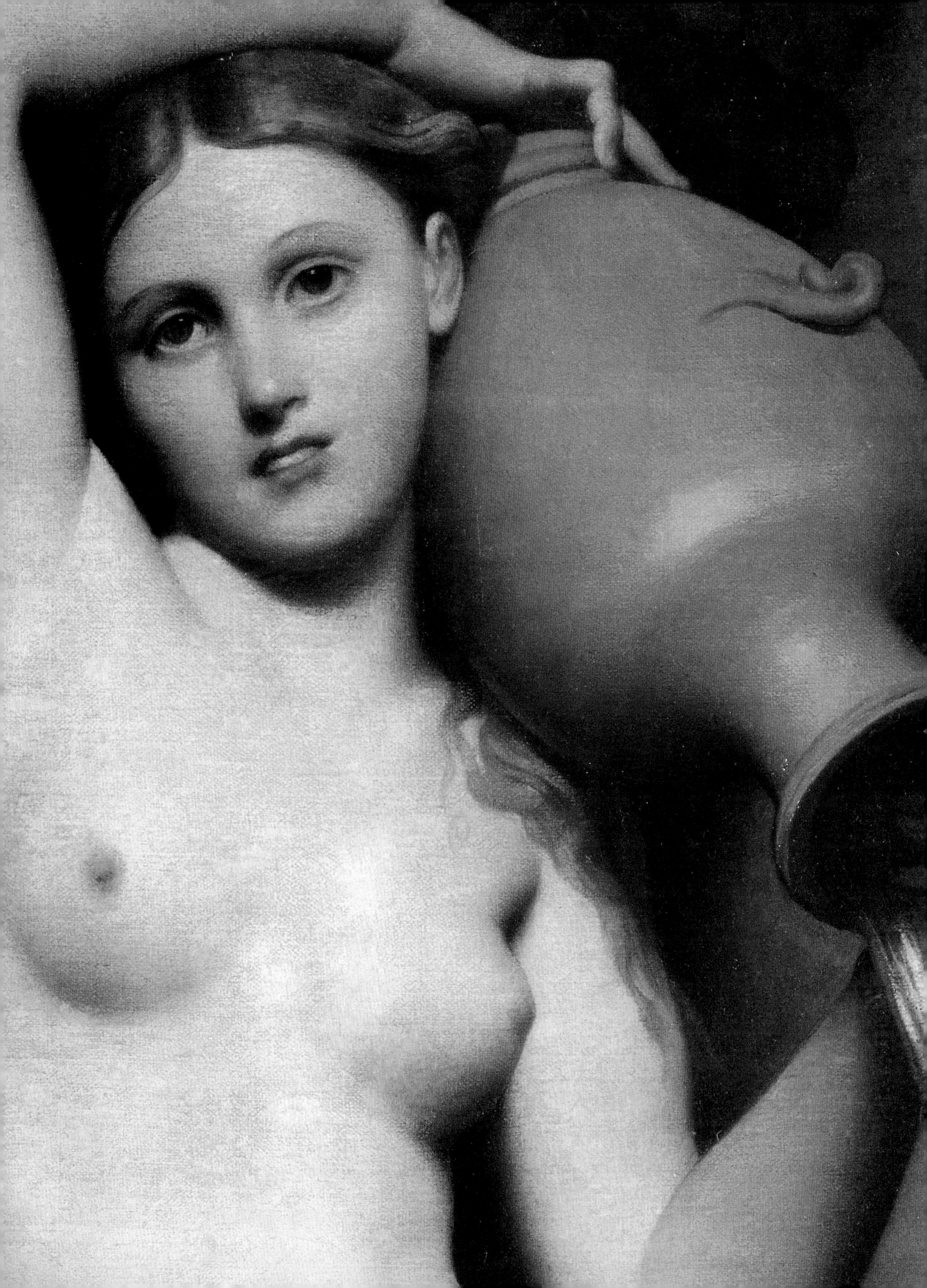

ROMANTISME, ORIENT

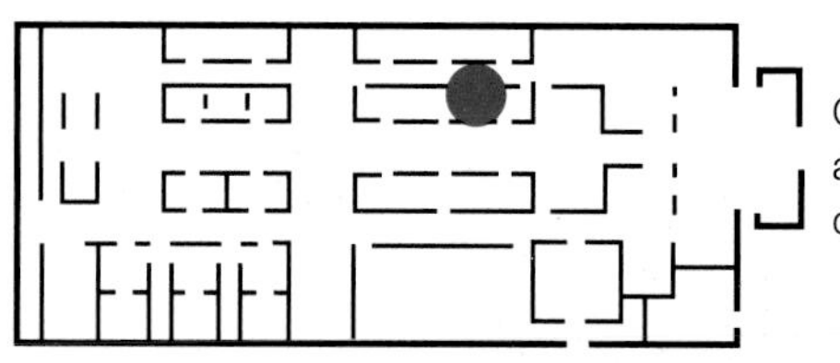

Ces œuvres sont situées au rez-de-chaussée, dans la salle 2.

Tandis qu'Eugène Delacroix disait avoir trouvé en Orient, lors d'un voyage au Maroc en 1832, la grandeur de l'Antiquité réincarnée, tandis qu'il se vouait à la fougue de scènes sauvages ou cruelles, Théodore Chassériau rêvait de Pompéi, dont on venait de découvrir une salle de thermes ; dans une vision quelque peu orientale, il imaginait les blancheurs moites de ces nobles Romaines qui venaient, au sortir du bain, se reposer et se sécher autour d'un brasero.

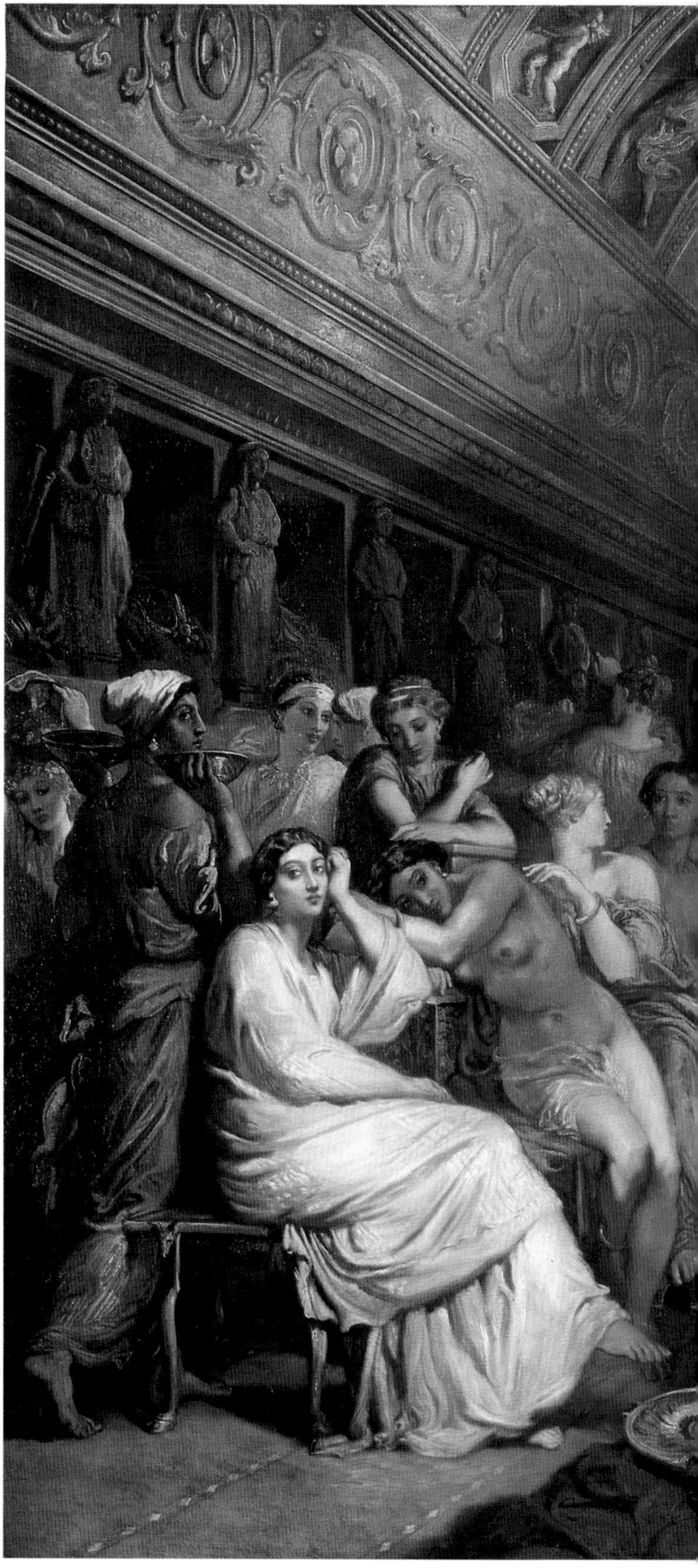

EUGÈNE DELACROIX,
La Chasse aux lions, esquisse de 1854.
Huile sur toile, 86 × 115 cm.

THÉODORE CHASSÉRIAU,
Le Tepidarium, 1853.
Huile sur toile, 171 × 258 cm.

SAVOIR ÊTRE ÉCLECTIQUE

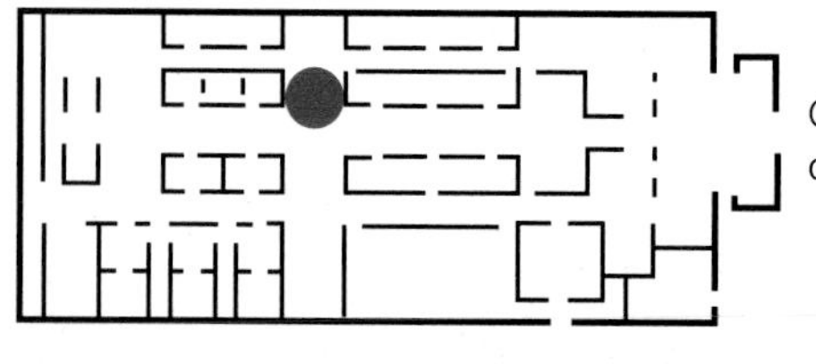

Cette œuvre est située au rez-de-chaussée, dans l'allée centrale.

THOMAS COUTURE,
Romains de la décadence, 1847.
Huile sur toile, 472 × 772 cm.

En se tournant résolument vers le passé, en affichant une ambition démesurée – je veux « régénérer l'art », disait-il, par l'étude des maîtres –, Thomas Couture illustre ce que fut l'« éclectisme », cet art de l'emprunt qui allait marquer la seconde moitié du XIXe siècle. Le résultat est à évaluer dans ces grands Romains décadents. Ici, les nus se veulent « à l'antique », conformes à l'idéal de beauté des sculpteurs grecs ; l'architecture emprunte à Véronèse et à ses *Noces de Cana* ; la gamme de couleurs se prétend l'héritière de Titien, et la touche tient à évoquer celle de Van Dyck. Quant au sujet, il reprend les mots d'un poète latin du Ier siècle, Juvénal – « Plus cruel que la guerre, le vice s'est abattu sur Rome et venge l'univers vaincu », lit-on dans l'une de ses *Satires*.

AU BORD DE L'EAU

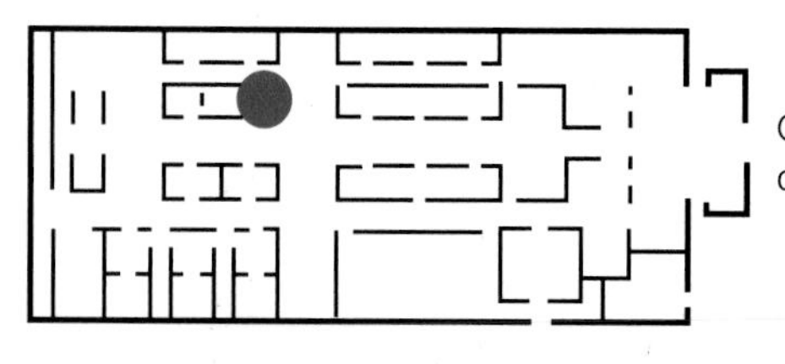

Ces œuvres sont situées au rez-de-chaussée, dans les salles 11 et 12.

Gustave Moreau,
Galatée, 1880.
Huile sur bois,
85 × 67 cm.

Pierre Puvis de Chavannes,
Le Pauvre Pêcheur, 1881.
Huile sur toile, 155 × 192 cm.

Page de droite :
Pierre Puvis de Chavannes,
Jeunes Filles au bord de la mer, 1879.
Huile sur toile, 205 × 154 cm.

Deux artistes ont choisi de s'attaquer à un thème somme toute assez traditionnel, une femme au bord ou dans l'eau… Leurs approches sont plus que différentes. Le premier cerne par un contour bleu des figures mi-nues mi-drapées, formes pâles détachées sur un fond marin à l'horizon chimérique. Le second va chercher sa Galatée dans la mythologie : languissante et fatale, assise dans une grotte marine surchargée d'algues, de coraux et d'anémones, la néréide est couvée par le regard détriplé de Polyphème, un cyclope furieux d'amour. Puvis de Chavannes et Moreau n'ont décidément rien en commun, sinon de représenter bientôt pour leurs contemporains des facettes de ce que l'on nomme le symbolisme.

LES HUMBLES ET LA RÉPUBLIQUE

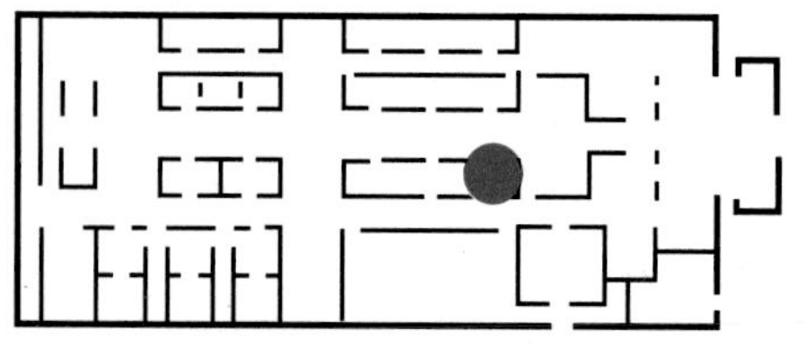

Ces œuvres sont situées au rez-de-chaussée, dans la salle 4.

Page de droite :
Honoré Daumier, *La Blanchisseuse*, vers 1863. Huile sur bois, 49 × 33,5 cm.

Honoré Daumier, *La République*, esquisse présentée au concours ouvert en 1848 par la direction des Beaux-Arts sous la IIe République. Huile sur toile, 73 × 60 cm.

Honoré Daumier, *Les Voleurs et l'âne*, 1858. Huile sur toile, 58,5 × 56 cm.

Des caricatures des bourgeois parisiens aux scènes de la vie quotidienne : Daumier a beaucoup observé de son temps. Du règne de Louis-Philippe – durant lequel il purge six mois de prison pour avoir publié un dessin qui se gaussait du roi – jusqu'aux débuts de la IIIe République, Daumier a connu et subi bien des régimes. De saute-ruisseau à commis de librairie : il a fait tous les métiers avant de se consacrer à la lithographie, au dessin, à la peinture et à la sculpture. Car Daumier sait tout faire. Porté aux nues par Baudelaire et Delacroix, soutenu par Millet et Corot, adulé par Van Gogh, Daumier a réuni autour de son œuvre l'admiration de plusieurs générations. Cela ne l'empêche pas de mourir dans la misère en 1879.

Peindre la terre

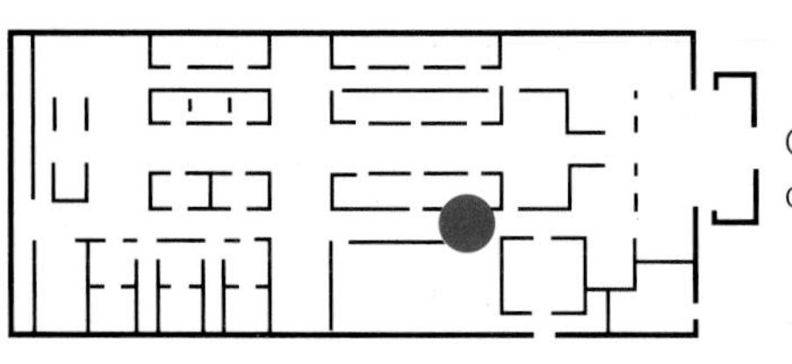

Ces œuvres sont situées au rez-de-chaussée, dans la galerie Seine.

Charles-François Daubigny,
Moisson, 1851.
Huile sur toile, 135 × 196 cm.

Ci-dessous :
Rosa Bonheur,
Labourage nivernais, le sombrage, 1849.
Huile sur toile, 134 × 260 cm.

Marie-Rosalie, dite Rosa, est la fille de Raymond Bonheur, peintre de son état. Labourages et moissonnages, chevaux, bœufs et vaches n'ont bientôt plus de secrets pour elle, qui reprend à l'infini de grandes scènes rurales avec animaux domestiques et s'en fait une spécialité et une célébrité. Appartenant à la même génération, Daubigny accorde peu à peu plus d'attention aux ciels chargés et aux reflets dans l'eau, à tel point qu'il se fera construire un bateau-atelier pour voguer sur son motif.

FIGURE D'ATELIER

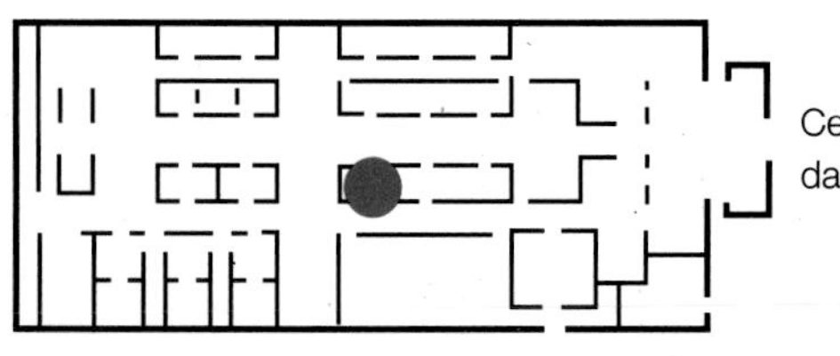

Ces œuvres sont situées au rez-de-chaussée, dans la salle 6.

CAMILLE COROT,
L'Atelier de Corot, vers 1865.
Huile sur toile, 56 × 46 cm.

CAMILLE COROT,
La Danse des Nymphes, vers 1860-1865.
Huile sur toile, 47 × 77,5 cm.

L'atelier est une figure de style du peintre. Il est sa façon de montrer ce qu'il est et ce qu'il veut paraître, comment il travaille, quelle place sociale il a ou non gagnée. Autant d'artistes, autant de représentations : il y a l'atelier-désordre, bric-à-brac pittoresque bourré de plâtres et de têtes de mort, composé pour épater le bourgeois ; il y a aussi l'atelier-salon, plus astiqué, où l'on reçoit son marchand et ses maîtresses ; il y a encore l'atelier-laboratoire, espace dépouillé où peu sont admis. Au 58, rue du Faubourg-Poissonnière, il y a celui de Corot.

ICÔNES PAYSANNES

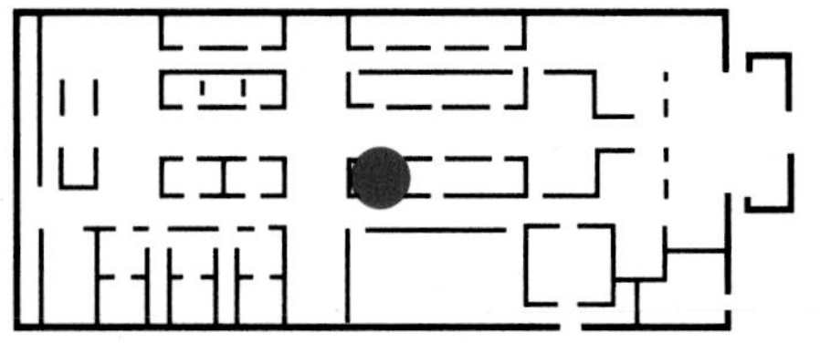

Ces œuvres sont situées au rez-de-chaussée, dans les salles 5 et 6.

JEAN-FRANÇOIS MILLET, *Des glaneuses*, 1857. Huile sur toile, 83,5 × 111 cm.

Parfois des tableaux ont été tant vus qu'ils se sont presque usés et qu'il est devenu impossible de les regarder. Qui peut encore s'arrêter devant des *Glaneuses* ou devant *L'Angélus*, ces images paysannes composées par Millet, sans que soudain réapparaissent tous les supports sur lesquels elles furent diversement reproduites, du calendrier des Postes à la tapisserie, de l'assiette en faïence au couvercle de boîte de camembert ? Alors il faut se frayer un chemin vers la peinture, suivre le rythme monumental de trois corps courbés, soutenu par l'ocre jaune, le rose orangé et le bleu ciel des coiffes.

JEAN-FRANÇOIS MILLET, *Le Printemps*, 1868-1873. Huile sur toile, 86 × 111 cm.

JEAN-FRANÇOIS MILLET, *L'Angélus*, 1857-1859. Huile sur toile, 55,5 × 66 cm.

LE PORTRAIT D'UN VILLAGE

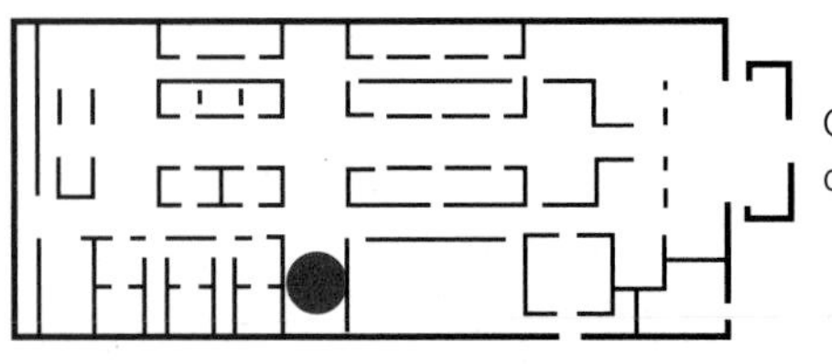

Cette œuvre est située au rez-de-chaussée, dans la salle 7.

GUSTAVE COURBET,
Un enterrement à Ornans, 1849-1850.
Huile sur toile, 315 × 668 cm.
Le titre initial était
Tableau de figures humaines, historique d'un enterrement à Ornans.

Faire le portrait des habitants de son village, accorder à une image de paysans la stature d'un tableau d'histoire : voilà la tâche à laquelle s'attelle le peintre. Ses lettres racontent ce labeur. 30 octobre 1849, régler les problèmes d'atelier : « Mon père m'a fait faire un atelier d'une grandeur assez respectable, mais la fenêtre était trop petite [...]. Aussitôt j'en ai fait faire une trois fois aussi grande ; maintenant on y voit clair comme à la rue. » 26 novembre, ne pas se décourager : « J'ai donc encore 20 pieds 2 pouces de peinture à faire, 30 ou 40 personnages. » Février-mars 1850, dresser un bilan : « Ont déjà posé : le maire ; le curé, le juge de paix, le porte-croix, le notaire, l'adjoint Marlet, mes amis, mon père, les enfants de chœur, le fossoyeur, deux vieux de la Révolution de 93, avec leurs habits du temps, un chien, le mort et ses porteurs, les bedeaux (un des bedeaux a un nez rouge comme une cerise mais gros en proportion et de 5 pouces de longueur [...]) ». Le 31 juillet, exposer : « Il est bien venu deux mille paysans à Ornans voir mes tableaux. »

UN PROJET RÉALISTE

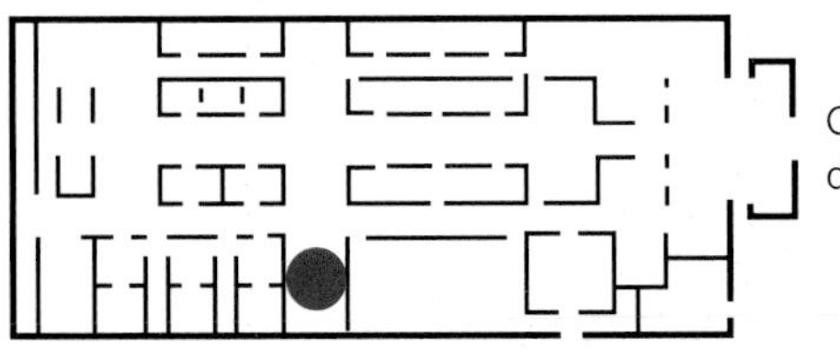

Cette œuvre est située au rez-de-chaussée, dans la salle 7.

GUSTAVE COURBET, *L'Atelier du peintre. Allégorie réelle déterminant une phase de sept années de ma vie artistique*, 1854-1855, exposé dans le « pavillon du Réalisme », place de l'Alma. Huile sur toile, 361 × 598 cm.

Détails : le modèle, le peintre et Charles Baudelaire.

FÉLIX TOURNACHON, dit NADAR, *Portrait de Charles Baudelaire au fauteuil Louis XIII*, vers 1855. Épreuve sur papier salé à partir d'un négatif verre, 21,2 × 16,1 cm.

Un juif, un curé, un républicain de 1793, un chasseur, un faucheur, un hercule, une queue-rouge, un marchand d'habits-galons, une femme d'ouvrier et un ouvrier, un croque-mort, une tête de mort, une Irlandaise, un mannequin… Tels sont, énumère le peintre, les personnages qui, dans son œuvre, se tiennent à gauche. Poursuivant sa description, il désigne à droite quelques amis, un collectionneur, un philosophe, un critique, des amoureux, sans oublier un poète, Baudelaire. « C'est l'histoire physique et morale de mon atelier, précise Courbet en 1854, ce sont les gens qui vivent de la vie, qui vivent de la mort. C'est la société dans son haut, dans son bas, dans son milieu. En un mot, c'est ma manière de voir la société dans ses intérêts et ses passions. C'est le monde qui vient se faire peindre chez moi. »

PAR-DELÀ L'INTIMITÉ

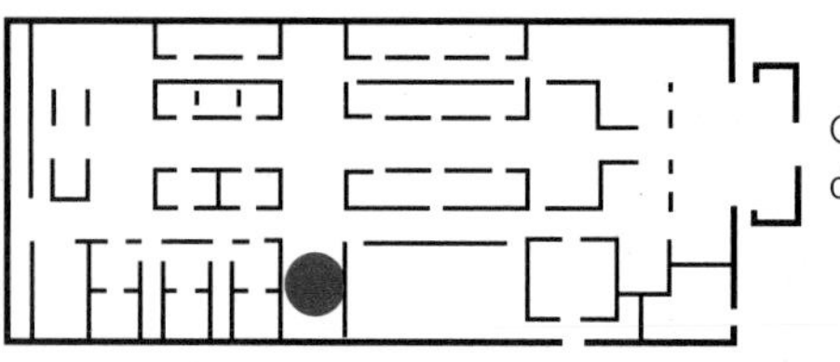

Cette œuvre est située au rez-de-chaussée, dans la salle 7.

Gustave Courbet,
L'Homme à la ceinture de cuir. Portrait de l'artiste, 1846.
Huile sur toile, 100 × 82 cm.

Page de droite :
Gustave Courbet,
La Source, 1868.
Huile sur toile, 128 × 97 cm.

Si les nus de Courbet ont si souvent choqué, offrant sans vergogne et sans le moindre prétexte mythologique leur solide anatomie, il n'en fut rien pour une ténébreuse *Origine du monde*. Car elle fut conçue non pas pour être exposée mais pour devenir un objet de dévotion privée, icône laïque et sexuée réservée à l'usage d'un collectionneur, le diplomate turc Khalil-Bey. C'est pour lui que fut recadrée, resserrée l'image, en un gros plan de ce qui jamais ne se montrait en peinture.

Gustave Courbet,
L'Origine du monde,
1866. Huile sur toile,
46 × 55 cm.

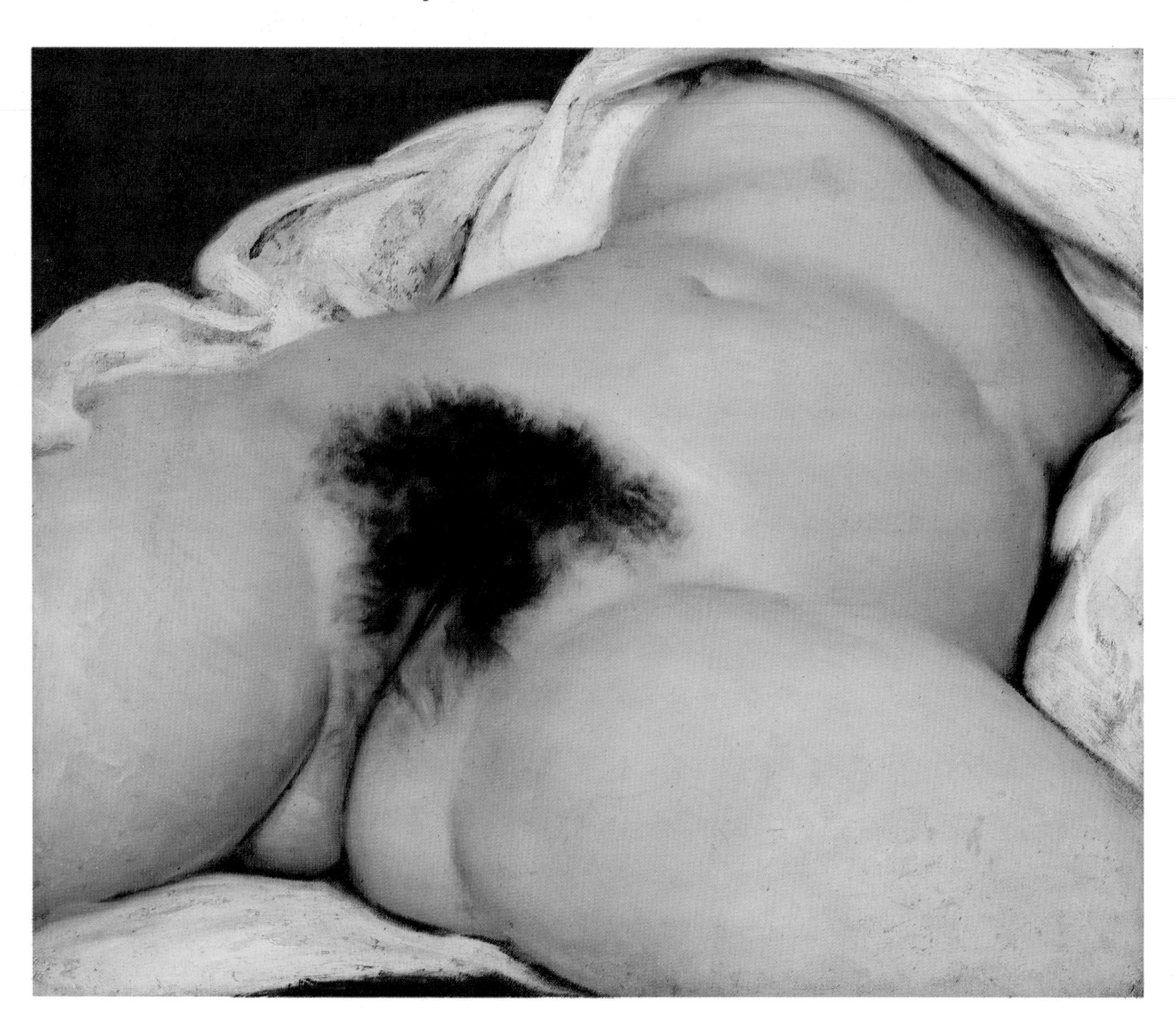

PEINTURE OFFICIELLE

VÉNUS IMPÉRIALE

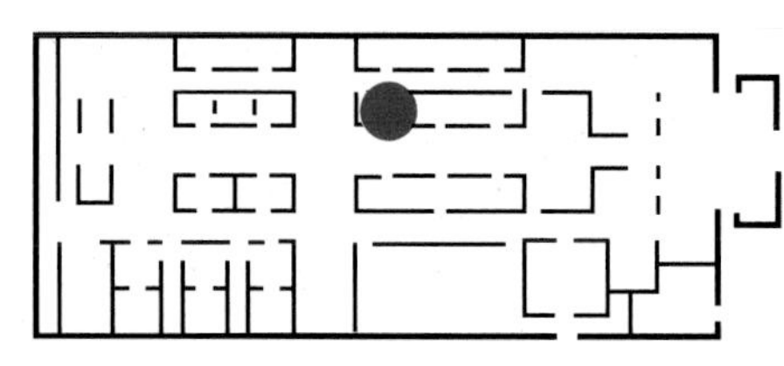

Ces œuvres sont situées au rez-de-chaussée, dans la salle 3.

L'année 1863 est une année de contrastes. Au Salon triomphent les charmes roses et laiteux d'une Vénus languissante, des charmes auxquels Napoléon III est loin d'être insensible : il s'empresse en effet d'acheter la toile. Cette même année est publié un essai promis à une influence décisive. Voici venu *Le Peintre de la vie moderne* de Charles Baudelaire, qui prône la beauté du monde contemporain, de ses habits et de ses mœurs et qui, alors, s'oppose en tous points au genre mythologique, historique, anecdotique d'Alexandre Cabanel, peintre officiel, professeur à l'École des beaux-arts, membre de l'Institut.

ALEXANDRE CABANEL,
Mort de Francesca de Rimini et de Paolo Malatesta,
1870. Huile sur toile, 184 × 255 cm.

Page de droite :
ALEXANDRE CABANEL,
Naissance de Vénus, 1863.
Huile sur toile, 130 × 225 cm.

ÊTRE À LA MODE

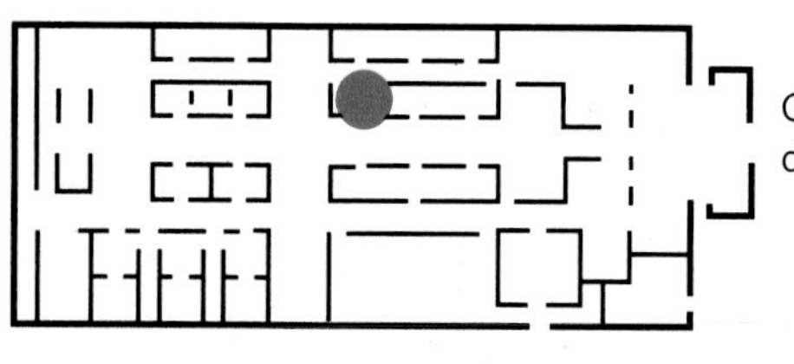

Ces œuvres sont situées au rez-de-chaussée, dans la salle 3.

CHARLES DURANT, dit CAROLUS-DURAN, *La Dame au gant*, 1869. Huile sur toile, 228 × 164 cm.

Page de droite : FRANZ XAVER WINTERHALTER, *Mme Barbe de Rimsky-Korsakov*, 1864. Huile sur toile, 117 × 90 cm.

JAMES TISSOT, *Portrait de Mlle L.L. ou Jeune Fille en veste rouge*, 1864. Huile sur toile, 124 × 99,5 cm.

Crinolines à cerceaux, mousselines blanches, jupes à volants, soies rehaussées de pompons, corsages baleinés et décolletés en ovale, manches garnies de lingerie, harmonies bleues et vertes, gants blancs et fleur piquée dans les cheveux : ainsi se décline l'élégance du soir sous le second Empire. Une mode que vénère Théophile Gautier en 1858 : car si les artistes « allaient plus souvent dans le monde et voulaient se dépouiller de leurs préjugés d'atelier pendant une soirée, ils verraient que les toilettes de bal ont de quoi satisfaire les plus difficiles, et que le peintre qui les traiterait d'une façon historique, en y appliquant le style, sans cesser pour cela d'être exact, arriverait à des effets de beauté, d'élégance et de couleur dont on serait étonné ».

EXPOSER AU SALON

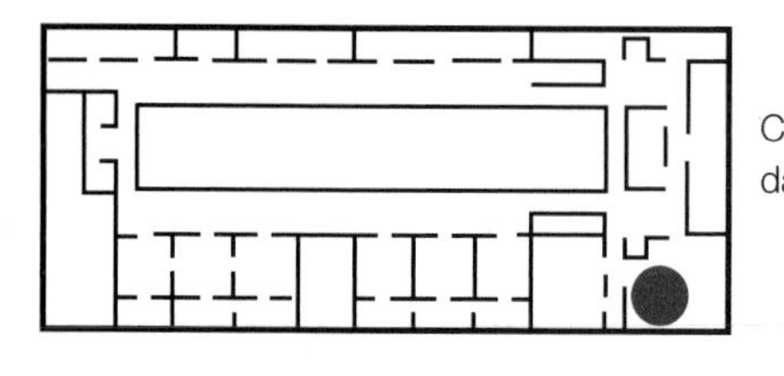

Ces œuvres sont situées au niveau médian, dans les salles 51 et 53.

HENRI GERVEX,
Une séance du jury de peinture, au Salon des Artistes français, dans une salle du premier étage du palais de l'Industrie, 1885. Huile sur toile, 299 × 419 cm.

WILLIAM BOUGUEREAU,
Naissance de Vénus, 1879. Huile sur toile, 300 × 215 cm.

Parce qu'il accueillait des expositions de peinture depuis le début du XVIIIe siècle, le Salon carré du Louvre donne son nom à une institution qui fera longuement parler d'elle au siècle suivant. Le Salon devient le lieu où se joue la carrière d'un artiste, où se masse le tout-Paris, des critiques aux futurs clients : y exposer signifie exister, faire parler de soi, voire au prix d'un scandale, vendre ; le jury refuse toute entorse aux règles de l'art officiel. Plus d'un ne peut y accéder, et le record est sans doute atteint en 1863 quand, sur les cinq mille œuvres présentées, trois mille sont recalées. Peu à peu les artistes organiseront des manifestations personnelles, et les années 1880, avec le Salon des Artistes français puis le Salon des Indépendants, connaîtront d'autres régimes, plus tolérants.

LA DÉCADENCE EXQUISE

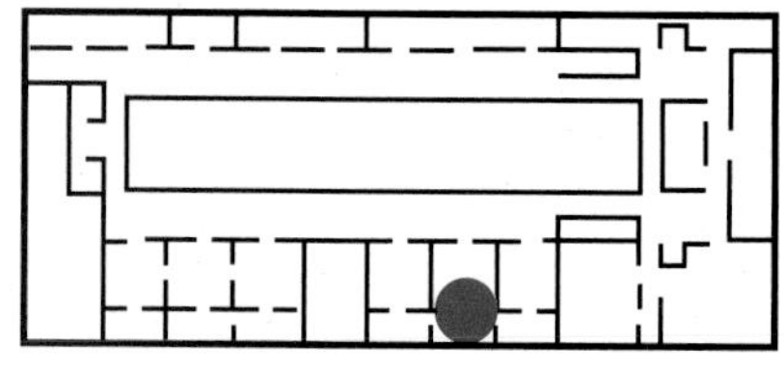

Ces œuvres sont situées au niveau médian, dans la salle 57.

JACQUES ÉMILE BLANCHE, *Marcel Proust*, 1892. Huile sur toile, 73,5 × 60,5 cm.

Page de droite : GIOVANNI BOLDINI, *Le Comte Robert de Montesquiou*, 1897. Huile sur toile, 160 × 82,5 cm.

GIOVANNI BOLDINI, *Mme Charles Max*, 1896. Huile sur toile, 205 × 100 cm.

Dès sa rencontre avec le comte Robert de Montesquiou-Fezensac en 1893, Marcel Proust ne tarit pas d'éloges à l'égard de celui qu'il baptisera son « professeur de beauté », ce « décadent exquis », prince de l'élégance parisienne fin de siècle, esthète et interprète de l'art à tendance symboliste. À tel point qu'*À la recherche du temps perdu* puisera beaucoup en lui, y trouvant en particulier un personnage, le baron de Charlus. Loin d'être flatté de se reconnaître dans ledit baron, le comte brosse en retour un portrait plutôt méchant de Proust et de son œuvre : « C'est pour commencer, une sorte d'autobiographie, écrit-il dans ses Mémoires, où il y a de jolies choses, entrecoupées d'horreurs, comme à plaisir, plaisir un peu sadique, puisque les premières sont des souvenirs de famille, et, les secondes, des scènes de saphisme, le tout finissant par tourner au pandémonium, faute de rédaction, de goût et de choix. »

UN BAIN FAIT SCANDALE

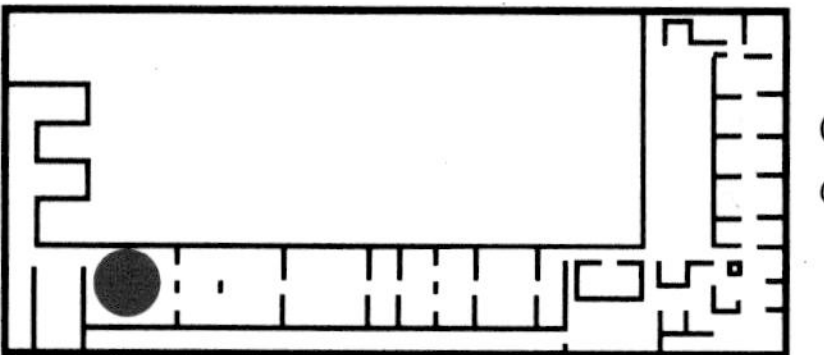

Ces œuvres sont situées au niveau supérieur, dans la salle 29.

ÉDOUARD MANET,
La Blonde aux seins nus,
vers 1878. Huile sur toile,
62,5 × 52 cm.

ÉDOUARD MANET,
Le Déjeuner sur l'herbe,
exposé en 1863 au Salon des Refusés
sous le titre *Le Bain*.
Huile sur toile, 208 × 264 cm.

En 1863, les portes du « Salon des Refusés » laissèrent s'engouffrer une foule curieuse de découvrir les productions des exclus du Salon officiel. Un certain *Bain* choqua, autant par son sujet – le modèle était nu et les messieurs habillés – que par sa technique – une facture jugée lâche, grossière ; d'ailleurs, ce tableau était-il vraiment achevé ? Vingt ans plus tard, Émile Zola s'inspira dans son roman *L'Œuvre* des sarcasmes déversés devant la peinture de son ami Manet : « Voilà, la dame a trop chaud, tandis que le monsieur a mis sa veste de velours, de peur d'un rhume. – Mais non, elle est déjà bleue, le monsieur l'a retirée d'une mare, et il se repose à distance, en se bouchant le nez. – Pas poli, l'homme ! il pourrait nous montrer son autre figure. »

DÉCOUPER, CADRER

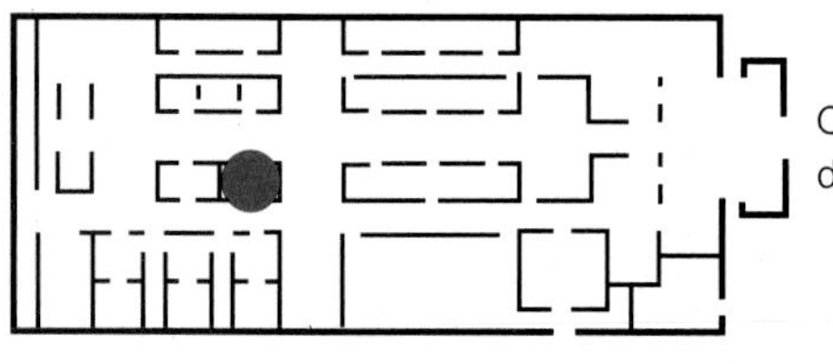

Ces œuvres sont situées au rez-de-chaussée, dans la salle 14.

ÉDOUARD MANET, *Le Balcon*, 1869.
Huile sur toile, 170 × 124 cm.
Ont posé : Berthe Morisot, le peintre Antoine Guillemet, la violoniste Fanny Claus et, à l'arrière-plan, Léon Leenhoff.

ÉDOUARD MANET, *Le Fifre*, 1866. Huile sur toile, 161 × 97 cm.

« Faire vrai, laisser dire » : telle était l'une des maximes sous laquelle Manet avait choisi de placer sa peinture et sa carrière. Faire vrai, c'était décider d'appartenir à son temps, de privilégier des scènes modernes, mais c'était aussi construire un tableau où rien ne se passait – quatre personnages, un chien, un pot de fleurs –, ou encore découper une figure sur un fond neutre. Laisser dire, c'était ne pas prêter l'oreille aux détracteurs, à ceux-là qui se montraient plus que déroutés par cette absence de sujet.

LE REGARD DU MODÈLE

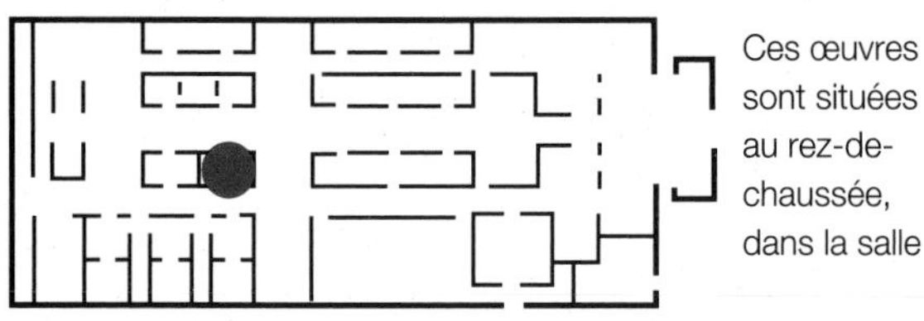

Ces œuvres sont situées au rez-de-chaussée, dans la salle 14.

Il faut s'imaginer le rire, la colère, le mépris et la haine qui accueillirent, en ce Salon de 1865, l'image singulière d'une femme allongée, non pas alanguie mais un peu redressée et offrant son regard à celui qui voulait bien la contempler. L'*Olympia* fut traitée de tous les noms. Car cette « odalisque au ventre jaune », à la « laideur accomplie », ne semblait être rien d'autre qu'une prostituée parisienne, contemporaine. Tous les détails étaient là, révélateurs, obscènes : un ruban de cou soulignant la nudité, une mule, la position d'une main, centrale, jusqu'à la servante qui présentait un bouquet – était-ce l'hommage d'un client ? – et jusqu'au chat, ce « chat noir qui laisse l'empreinte de ses pattes crottées sur le lit », nota Théophile Gautier.

ÉDOUARD MANET, *Émile Zola*, 1868.
Huile sur toile, 146 × 114 cm.

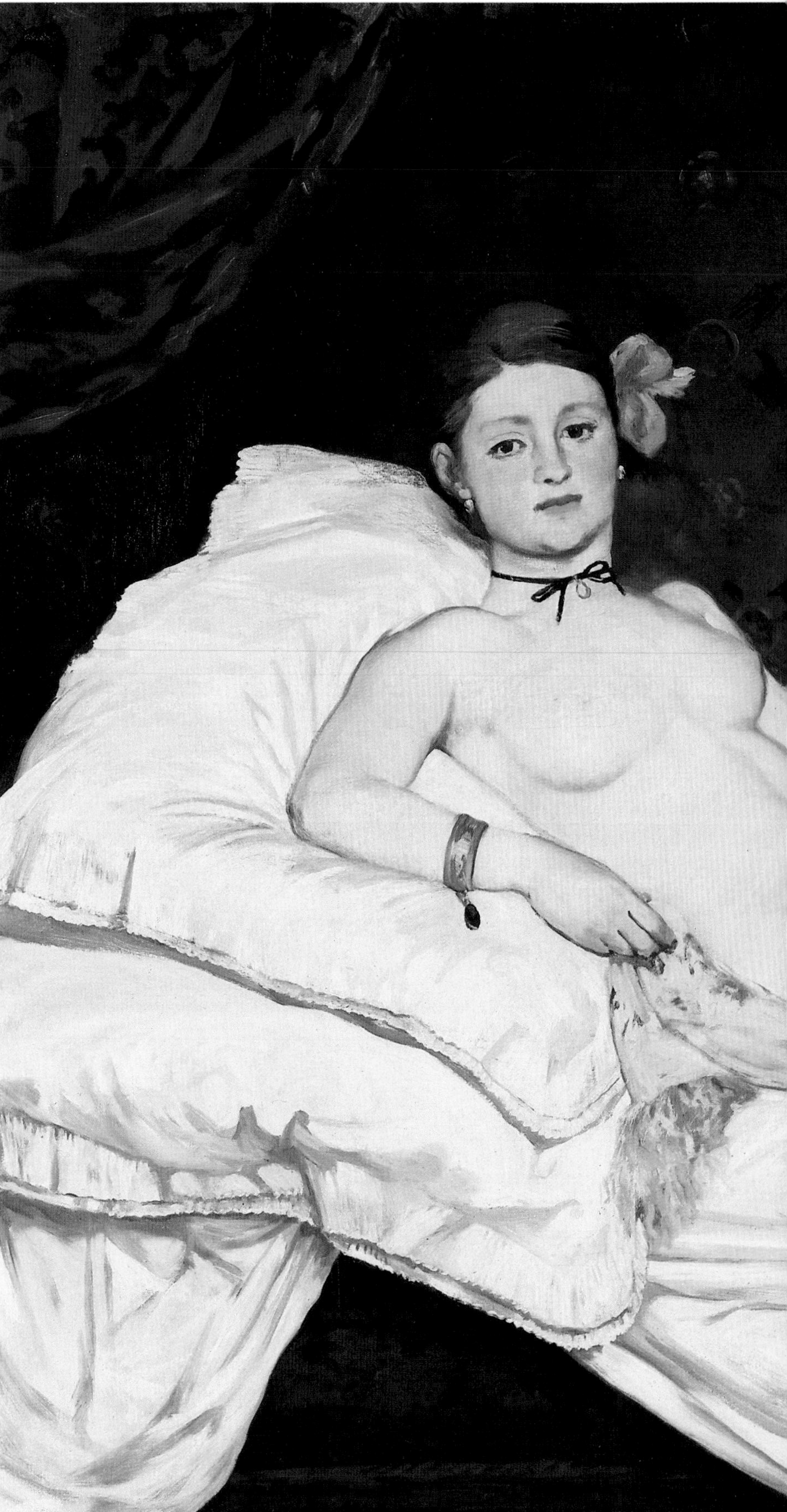

ÉDOUARD MANET, *Olympia*, 1863.
Huile sur toile, 130 × 190 cm.

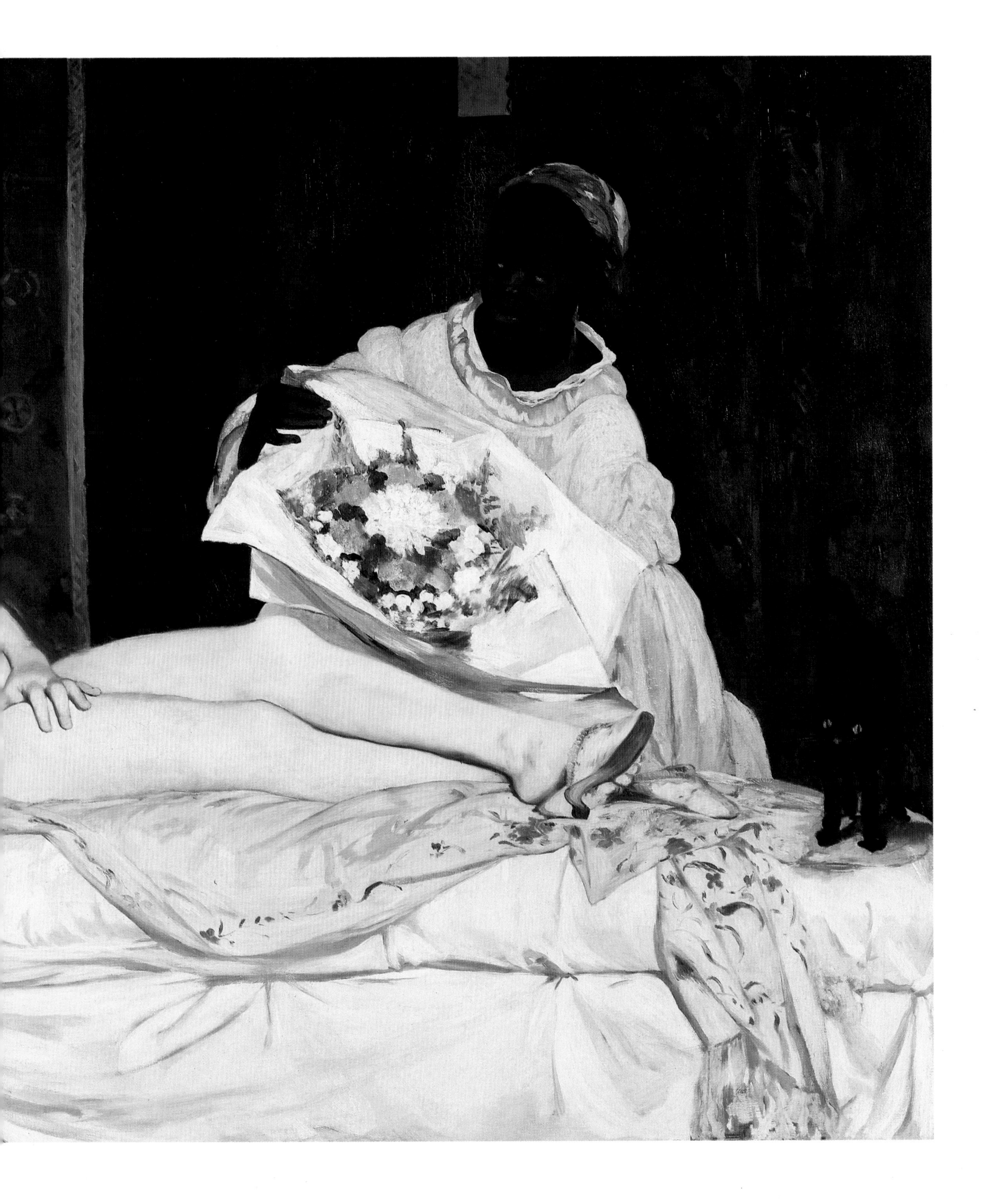

AUX BATIGNOLLES

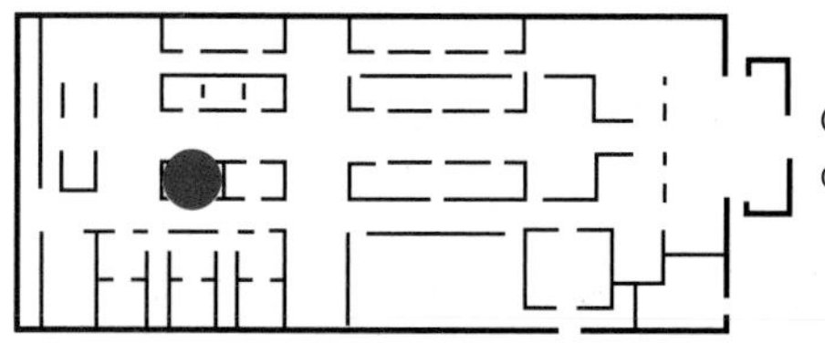

Ces œuvres sont situées au rez-de-chaussée, dans la salle 18.

Ci-contre :
HENRI FANTIN-LATOUR,
Un atelier aux Batignolles, 1870.
Huile sur toile, 204 × 273 cm.
De gauche à droite :
Otto Scholderer, Édouard Manet, Auguste Renoir, Zacharie Astruc, Émile Zola, Edmond Maître, Frédéric Bazille et Claude Monet.

FRÉDÉRIC BAZILLE,
L'Atelier de Bazille, 1870.
Huile sur toile, 98 × 128 cm.
Autour de l'escalier :
Auguste Renoir et Émile Zola
(ou Claude Monet et Alfred Sisley).
Autour du chevalet :
Claude Monet (ou Zacharie Astruc), Édouard Manet et Frédéric Bazille.
Au piano : Edmond Maître.

Sur la rive droite de ce Paris revu et corrigé par le baron Haussmann, le quartier des Batignolles est le rendez-vous d'une jeune génération d'artistes ; ces tenants d'une « nouvelle peinture », ces « actualistes », seront bientôt dénommés « impressionnistes ». C'est ici qu'ils viennent rendre hommage à Manet, dans ce quartier que le maître aime tant, lui qui, en 1870, installe son atelier 51, rue de Saint-Pétersbourg. Bazille n'est pas loin, 9, rue de La Condamine. Aux discussions menées devant les toiles succèdent souvent celles que l'on tient au café : le vendredi soir au café Guerbois, 11, avenue de Clichy, ou au café de la Nouvelle-Athènes, 9, place Pigalle.

DE LA COULEUR EN TUBE

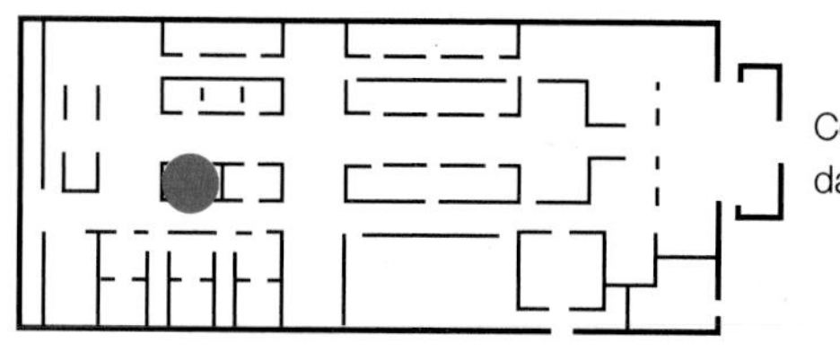

Cette œuvre est située au rez-de-chaussée, dans la salle 18.

CLAUDE MONET,
Le Déjeuner sur l'herbe, 1865-1866,
partie centrale de l'œuvre,
qui fut abîmée par l'humidité
puis découpée par l'artiste en 1884.
Huile sur toile, 248 × 217 cm.

Le chemin de fer et la couleur en tube : deux révolutions industrielles allaient changer la vie de ces artistes qui, dans les années 1860, souhaitaient travailler face à la nature. De plus en plus nombreux étaient en effet les trains à vapeur qui les menaient aux environs de Paris, à la campagne, au bord de l'eau. Chevalet sur le dos, ils pouvaient désormais emporter dans leur boîte à palette de petits tubes en étain, pliables, qui contenaient, mélangés, les pigments broyés et l'huile. Tout était prêt pour peindre en plein air. À Chailly-en-Bière, en forêt de Fontainebleau, le jeune Claude Monet observa la lumière déposer des taches bleutées sur une blancheur épandue.

RENDRE LE BRUIT ET LA FUREUR

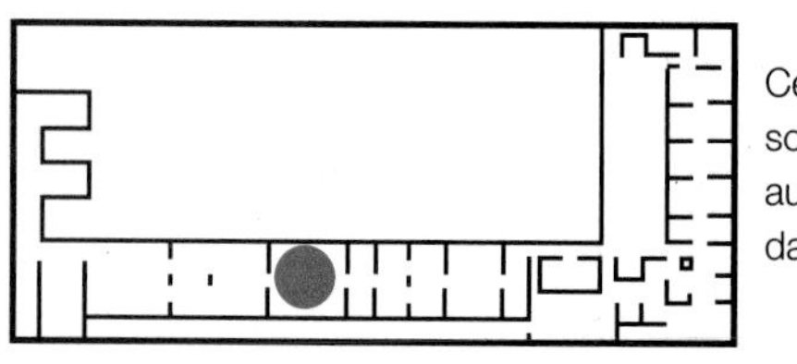

Ces œuvres sont situées au niveau supérieur, dans la salle 32.

Le Paris de la toute jeune IIIe République se couvre peu à peu d'une architecture qui exhibe sa structure et recourt aux montants métalliques et autres panneaux de verre : voici des gares, des grands magasins, des palais de l'Industrie et bientôt une tour Eiffel. Le nouveau régime a aussi besoin de reconnaissance ; l'instauration d'une fête nationale est l'occasion de faire claquer dans les rues le drapeau tricolore. Témoin de son temps peut-être, adepte d'une représentation nouvelle sûrement, le peintre a noyé ici son sujet dans la fumée, là il a taché et strié sa toile de rouge, restituant une perception brouillée, rapide, éphémère.

CLAUDE MONET,
La Rue Montorgueil. Fête du 30 juin 1878,
1878. Huile sur toile, 81 × 50,5 cm.

CLAUDE MONET,
La Gare Saint-Lazare, 1877.
Huile sur toile, 75,5 × 104 cm.

L'AVENIR D'UNE IMPRESSION

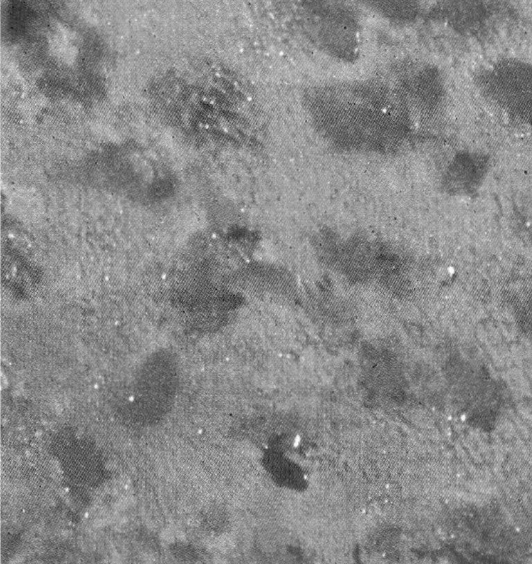

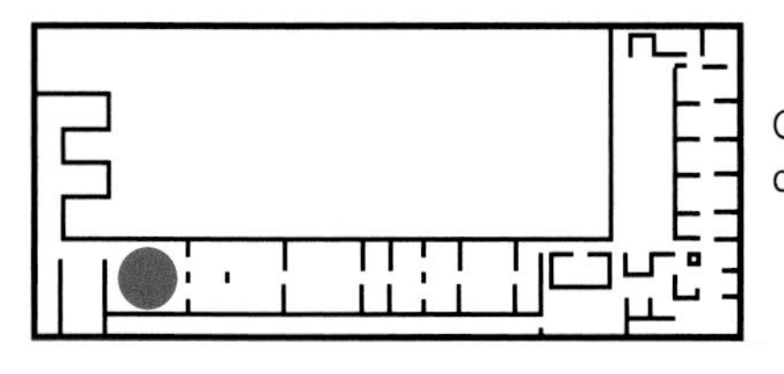

Ces œuvres sont situées au niveau supérieur, dans les salles 29 et 34.

Louis Leroy a eu de la chance : en se moquant d'une toile de Monet exposée en 1874 sous le titre *Impression, soleil levant*, en baptisant de son fiel un mouvement de peinture, ce critique nous a légué son nom. « Je me disais aussi, persifla-t-il dans le *Charivari*, puisque je suis impressionné, il doit y avoir de l'impression là-dedans... Et quelle liberté, quelle aisance dans la facture ! Le papier peint à l'état embryonnaire est encore plus fait que cette marine-là ! » Frais émoulus, ces impressionnistes n'ont cessé de livrer leurs impressions face à la lumière, face à des formes s'estompant dans un champ piqué de rouge ou à une silhouette dressée en contre-jour.

CLAUDE MONET,
Coquelicots,
1873. Huile sur toile,
50 × 65 cm.

CLAUDE MONET,
Essai de figure en plein air. Femme à l'ombrelle tournée vers la gauche,
1886. Huile sur toile,
131 × 88 cm.

EN SÉRIE

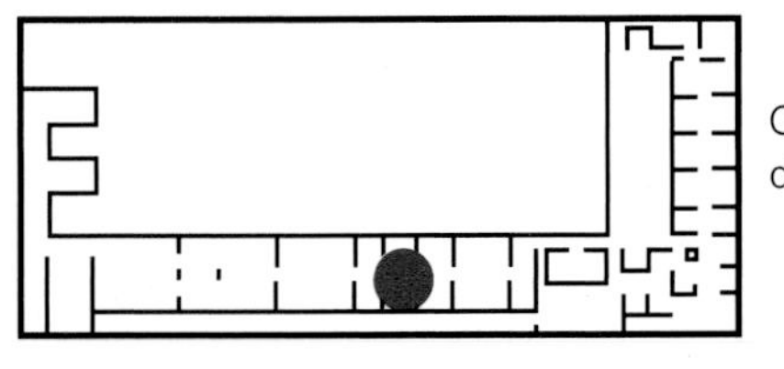

Ces œuvres sont situées au niveau supérieur, dans la salle 34.

Choisir un motif unique et le reprendre, inlassablement, au lever du jour ou en fin d'après-midi, à chaque saison, écrasé de soleil ou fouetté par la pluie : tel a été le désir de Monet, qui l'a conduit à peindre en série. « Je pioche beaucoup, je m'entête à une série d'effets différents, écrit-il dans une lettre du 7 octobre 1890, mais à cette époque le soleil décline si vite que je ne peux le suivre… Je deviens d'une lenteur à travailler qui me désespère. Mais plus je vais, plus je vois qu'il faut beaucoup travailler pour arriver à rendre ce que je cherche : "l'instantanéité", surtout l'enveloppe, la même lumière répandue partout, et plus que jamais les choses faciles venues d'un jet me dégoûtent. »

CLAUDE MONET,
La Cathédrale de Rouen.
Le portail et la tour Saint-Romain, plein soleil, harmonie bleue et or, 1893. Huile sur toile, 107 × 73 cm.

CLAUDE MONET,
La Cathédrale de Rouen.
Le portail, soleil matinal, harmonie bleue, 1893.
Huile sur toile, 91 × 63 cm.

CLAUDE MONET,
La Cathédrale de Rouen.
Le portail vu de face, harmonie brune, 1894.
Huile sur toile, 107 × 73 cm.

PAYSAGES D'EAU

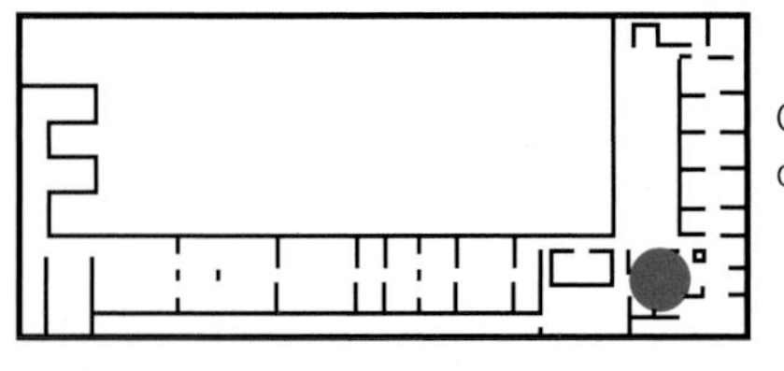

Ces œuvres sont situées au niveau supérieur, dans la salle 39.

CLAUDE MONET,
Nymphéas bleus, vers 1916-1919.
Huile sur toile, 200 × 200 cm.

CLAUDE MONET,
Le Bassin aux nymphéas, harmonie rose,
1900. Huile sur toile, 89,5 × 100 cm.

À partir des années 1890 et jusqu'à sa mort en 1926, Monet fit de sa propriété de Giverny le sujet et le cœur même de son art : il acquit un terrain, fit détourner une rivière, creusa des bassins, éleva des ponts, dessina les parterres et fit pousser à fleur d'eau d'innombrables nymphéas, ces nénuphars de poète. D'ailleurs, Stéphane Mallarmé adressa au peintre, tracé sur une enveloppe, un hommage en forme de quatrain :

« Monsieur Monet, que l'hiver ni
L'été sa vision ne leurre
Habite, en peignant, Giverny
Sis auprès de Vernon, dans l'Eure. »

Le poète aimait les paysages d'eau créés par Monet.

CLAUDE MONET,
Le Jardin de l'artiste à Giverny, 1900.
Huile sur toile, 81 × 92 cm.

FÉMININ PLURIEL

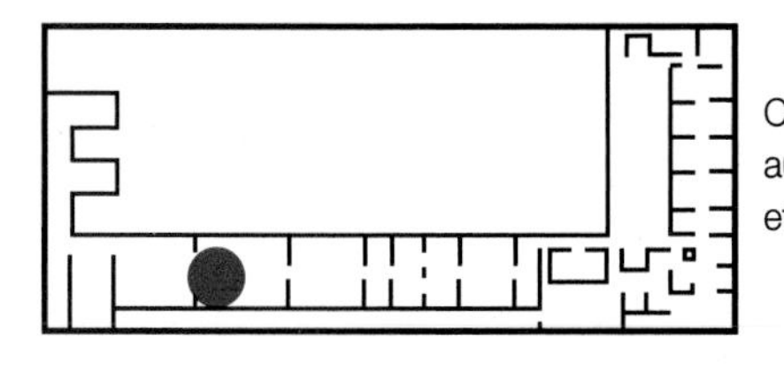

Ces œuvres sont situées au rez-de-chaussée, dans la salle 19, et au niveau supérieur, dans la salle 30.

ÉDOUARD MANET,
Berthe Morisot au bouquet de violettes,
1872. Huile sur toile, 55 × 38 cm.

MARY CASSATT,
Femme cousant dans un jardin,
vers 1880-1882.
Huile sur toile, 92 × 63 cm.

Page de droite :
BERTHE MORISOT,
Le Berceau, 1872.
Huile sur toile, 56 × 46 cm.

S'il était d'usage qu'une jeune fille de bonne famille s'adonnât à la peinture, comme elle pratiquait le point de croix ou le piano, sans doute était-ce une autre affaire que de s'imposer comme artiste et d'exposer auprès de ses confrères, impressionnistes ou non. En d'autres domaines, les choses ne furent guère plus faciles : on attendit 1861 pour féliciter la première bachelière et 1883 pour admettre à la Sorbonne la première étudiante en lettres ; 1867 marqua l'amorce d'un enseignement secondaire féminin, organisé en 1880 ; l'ordre des avocats accueillit une femme en 1900, celui des médecins en 1904. Pour celles qui n'étaient pas des jeunes filles de bonne famille, ce fut une tout autre histoire…

RABOTER L'ESPACE

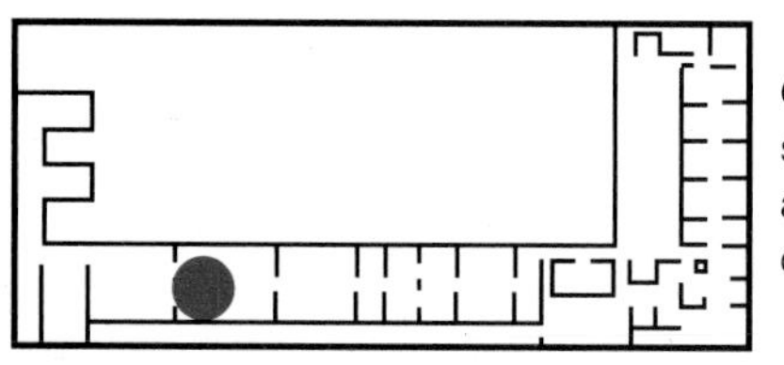

Ces œuvres sont situées au niveau supérieur, dans la salle 30.

En se décidant à exposer des *Raboteurs* à la deuxième « exposition impressionniste » en 1876, Caillebotte se place au nombre des peintres intransigeants, renégats. Face à l'œuvre, la critique est partagée entre l'aspect social et la réflexion spatiale... Réaliste, Philippe Burty applaudit à cette « représentation fidèle de la vie telle qu'elle s'exprime dans les fonctions ouvrières ». D'autres, moins enthousiastes, s'insurgent contre de tels effets de perspective : la vision surplombante déforme tout, les lignes du sol remontent, et l'on n'aperçoit rien au-delà de la base d'un mur et d'un motif de balcon. Où peut donc résider l'intérêt d'une telle image ?

GUSTAVE CAILLEBOTTE,
Portrait de l'artiste, vers 1889.
Huile sur toile, 40,5 × 32,5 cm.

GUSTAVE CAILLEBOTTE,
Raboteurs de parquet, 1875.
Huile sur toile, 102 × 146 cm.

BLEUTÉ DE LUMIÈRE

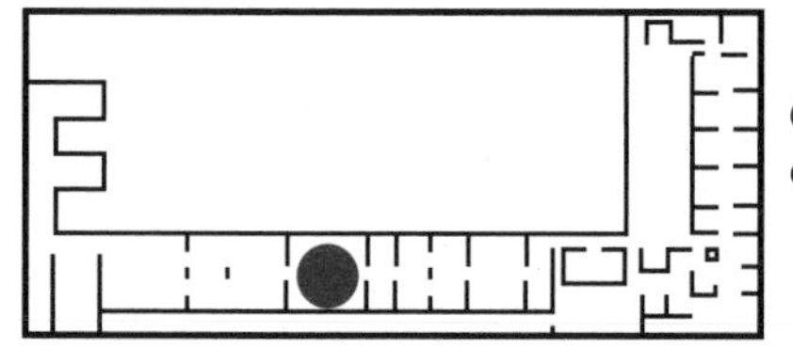

Ces œuvres sont situées au niveau supérieur, dans la salle 32.

PIERRE-AUGUSTE RENOIR, *Bal du Moulin de la Galette*, 1876. Huile sur toile, 131 × 175 cm.
Détail double page suivante.

FRÉDÉRIC BAZILLE, *Portrait de Renoir*, 1867. Huile sur toile, 62 × 51 cm.

PIERRE-AUGUSTE RENOIR, *Étude. Torse, effet de soleil*, vers 1876. Huile sur toile, 81 × 65 cm.

Il y a du bleu partout. De l'indigo, ce bleu foncé aux reflets violacés ou rougeâtres, parsème le sol. Des touches bleuissantes maculent un torse de femme dont la peau rose, parfois rouge, accroche si bien la lumière. Ailleurs, un visage est devenu presque pourpre, presque méconnaissable, et une robe est rayée de longues bandes nacrées. Il y a du bleu partout qui, né de la lumière, colore les ombres : un nu en plein soleil ou des danseurs tournoyant un dimanche dans un bal de la rue Lepic, à Montmartre, sont pour Renoir autant d'expérimentations sur la dissolution d'une forme ou la décomposition d'une teinte.

L'ŒIL DU PEINTRE

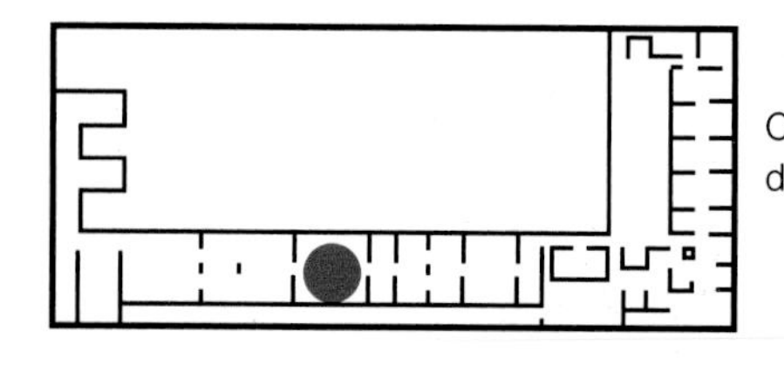

Ces œuvres sont situées au niveau supérieur, dans les salles 32 et 34.

Page de droite :
PIERRE-AUGUSTE RENOIR,
La Balançoire, 1876.
Huile sur toile, 92 × 73 cm.

PIERRE-AUGUSTE RENOIR,
Jeunes Filles au piano, 1892.
Huile sur toile, 116 × 90 cm.

Nombreux sont les critiques qui s'échinèrent à traiter de fous Renoir et ses compères, ainsi Joris-Karl Huysmans en 1880 : « L'étude de ces œuvres relevait surtout de la physiologie et de la médecine. Je ne veux pas citer ici des noms, il suffit de dire que l'œil de la plupart d'entre eux s'était monomanisé ; celui-ci voyait du bleu perruquier dans toute la nature et il faisait d'un fleuve un baquet à blanchisseuse ; celui-là voyait violet ; terrains, ciels, eaux, chairs, tout avoisinait, dans son œuvre, le lilas et l'aubergine, la plupart enfin pouvaient confirmer les expériences du Dr Charcot sur les altérations dans la perception des couleurs qu'il a notées chez beaucoup d'hystériques de la Salpêtrière et sur nombre de gens atteints de maladies du système nerveux. Leurs rétines étaient malades… »

Renoir

PLEIN SOLEIL

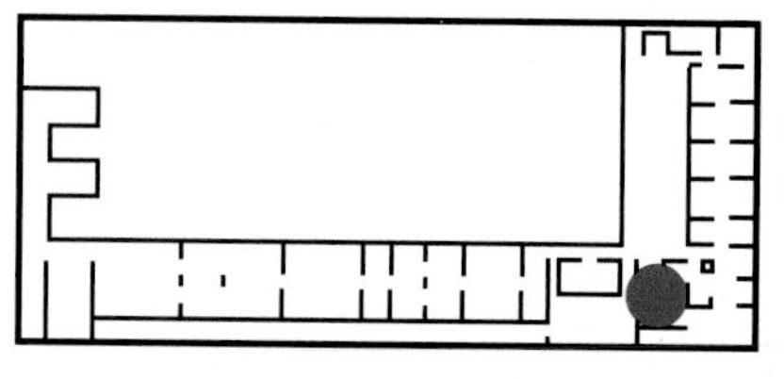

Ces œuvres sont situées au niveau supérieur, dans les salles 32 et 39.

Parti en 1903 vivre dans le Midi, à Cagnes-sur-Mer, Renoir poursuit ses recherches, allant parfois jusqu'au monumental : il baigne ses figures féminines aux rondeurs concentriques dans des paysages saturés de couleurs, abolit la distance entre la courbe d'un corps et l'ondulation d'une colline, et plonge un visage rougeoyant dans une vibration de touches.

PIERRE-AUGUSTE RENOIR,
Les Baigneuses, vers 1918-1919.
Huile sur toile, 110 × 160 cm.

PIERRE-AUGUSTE RENOIR,
La Liseuse, vers 1874-1876.
Huile sur toile, 46,5 × 38,5 cm.

EFFET D'HIVER

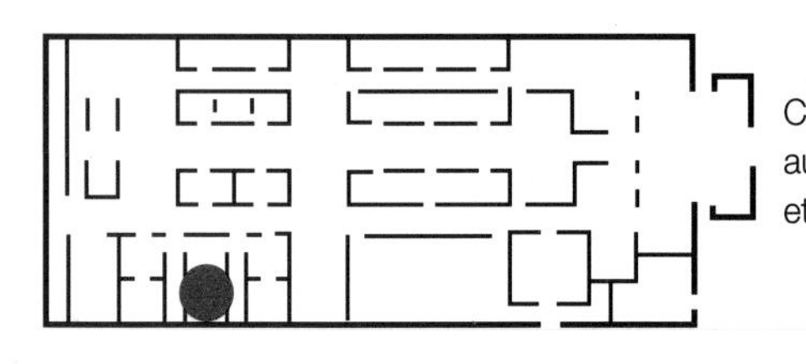

Ces œuvres sont situées au rez-de-chaussée, dans la salle 20, et au niveau supérieur, dans la salle 32.

CAMILLE PISSARRO, *Les Toits rouges, coin de village, effet d'hiver*, 1877. Huile sur toile, 54,5 × 65,6 cm.

CAMILLE PISSARRO, *Gelée blanche, ancienne route d'Ennery, Pontoise*, 1873. Huile sur toile, 65 × 93 cm.

« Ça, des sillons, ça, de la gelée ?... Mais ce sont des grattures de palette posées uniformément sur une toile sale. Ça n'a ni queue ni tête, ni haut ni bas, ni devant ni derrière. » Une telle appréciation émise en 1874 devant une *Gelée blanche* fait sans doute mesurer l'écart qui existe entre un regard de la fin du XIXe siècle et le nôtre. Le premier fut gêné, choqué par ce travail de peinture mis à nu, par ces touches larges, juxtaposant et superposant les couleurs afin de rendre les traces du gel sur la terre. Le second, celui du XXe siècle, est séduit par cette représentation d'une nature familière, par cette sensibilité aux effets de l'hiver. Entre ces deux regards se situe l'histoire de l'impressionnisme, aujourd'hui désamorcé et partout célébré.

À LA CAMPAGNE

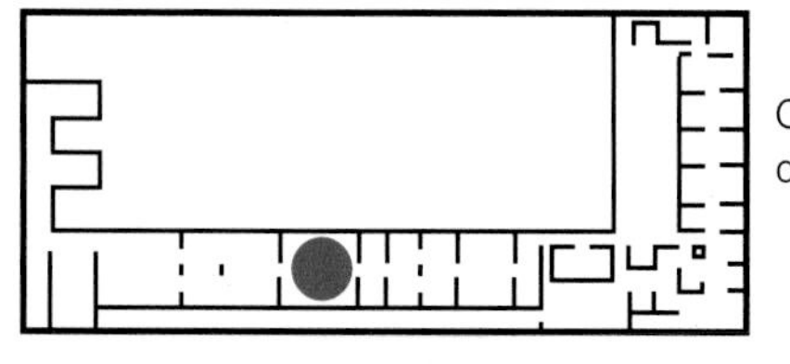

Ces œuvres sont situées au niveau supérieur, dans la salle 32.

CAMILLE PISSARRO,
Entrée du village de Voisins,
1872. Huile sur toile, 46 × 55,5 cm.

CAMILLE PISSARRO,
Jeune Fille à la baguette,
1881. Huile sur toile, 81 × 64,7 cm.

Voisins, Louveciennes, Pontoise, Éragny-sur-Epte, Auvers-sur-Oise... Ces communes situées au nord-ouest de Paris possèdent un point commun, elles accueillirent Camille Pissarro qui, faute d'argent, quitta Paris et y demeura des années durant; elles composent des sortes de jalons dans un parcours impressionniste qui, en variant ses paysages, ses éléments et ses lumières, sillonne depuis la forêt de Fontainebleau, fraie le long des bords de Marne et des rives de la Seine pour se perdre enfin sur les côtes de la Manche. Pissarro, lui, habita et peignit les paysans et la campagne, cette campagne qui était déjà en banlieue.

BEAUTÉS MÉTÉOROLOGIQUES

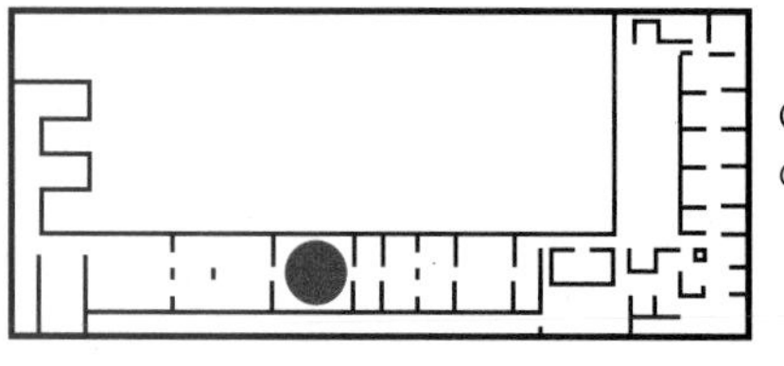

Ces œuvres sont situées au niveau supérieur, dans la salle 32.

ALFRED SISLEY,
L'Inondation à Port-Marly,
1876. Huile sur toile, 60 × 81 cm.

ALFRED SISLEY,
Chemin de la Machine, Louveciennes,
1873. Huile sur toile, 54,5 × 73 cm.

De l'eau qui envahit tout, du brouillard, des nuages bas et lourds, du givre ou de la neige… Alfred Sisley a toujours été l'un des peintres parmi les plus attachés à l'évocation des beautés atmosphériques, au passage des saisons sur un même paysage. Henri Matisse dira de lui : « Un Cézanne est un moment de l'artiste tandis qu'un Sisley est un moment de la nature. »

ALFRED SISLEY,
La Neige à Louveciennes,
1878. Huile sur toile,
61 × 50,5 cm.

FOU DE CHEVAUX

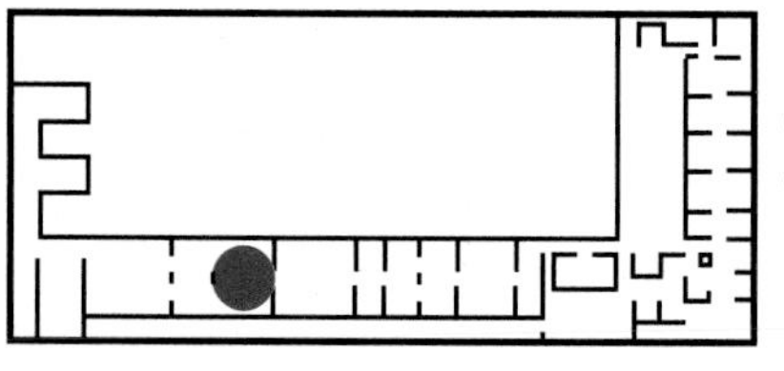

Ces œuvres sont situées au niveau supérieur, dans la salle 31.

EDGAR DEGAS, *Le Défilé ou Chevaux de course devant les tribunes*, vers 1866-1868. Huile sur papier marouflé sur toile, 46 × 61 cm.

Edgar Degas rencontre Paul Valéry vers 1893 ; le premier est bientôt sexagénaire, le second est âgé de vingt ans à peine. En 1934, soit quarante ans plus tard, l'écrivain consacre un ouvrage, *Degas Danse Dessin*, à celui qui, fou de son art, l'était aussi de chevaux : « Le Cheval marche sur les pointes. Quatre ongles le portent. Nul animal ne tient de la première danseuse, de l'étoile du corps de ballet, comme un pur-sang en parfait équilibre, que la main de celui qui le monte semble tenir suspendu, et qui s'avance au petit pas en plein soleil. Degas l'a peint d'un vers : il dit de lui :

"Tout nerveusement nu dans sa robe de soie"

dans un sonnet fort bien fait où il s'est diverti et évertué à concentrer tous les aspects et fonctions du cheval de course : entraînement, vitesse, paris et fraudes, beauté, élégance suprême. »

EDGAR DEGAS, *Le Champ de courses. Jockeys amateurs près d'une voiture*, 1876-1887. Huile sur toile, 66 × 81 cm.

En haut :
EDGAR DEGAS, *Cheval se cabrant*. Bronze, h : 19 cm.

SCÈNES DE LA VIE ORDINAIRE

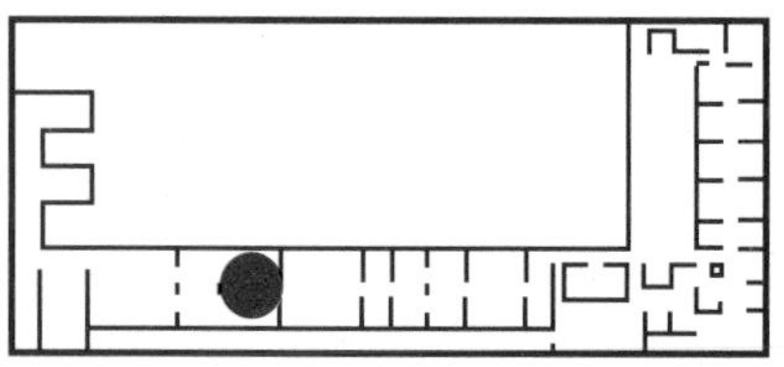

Ces œuvres sont situées au niveau supérieur, dans la salle 31.

EDGAR DEGAS,
Au café, dit
L'Absinthe,
vers 1875-1876.
Huile sur toile,
92 × 68 cm.

EDGAR DEGAS,
Repasseuses,
vers 1884-1886.
Huile sur toile,
76 × 81,5 cm.

Degas s'intéresse aux femmes. Il les saisit, les cerne, les traque dans leur travail ou leur repos, pour les poursuivre enfin jusque dans leur intimité, au plus près. Ces femmes de la fin du XIXe siècle sont aussi devenues les héroïnes des romans naturalistes, de *Manette Salomon* des frères Goncourt en 1867 à la Gervaise de *L'Assommoir* d'Émile Zola dix ans plus tard. Ce sont les mêmes qui, en posant pour Degas, ont composé un immense répertoire de formes : elles étaient blanchisseuses, repasseuses ou modistes, elles étaient « patronnes », prostituées, chanteuses, actrices, serveuses, danseuses et parfois buveuses.

Quand elles ne sont pas tout simplement tronquées, coupées par le cadre – décapitées ou amputées… –, les danseuses sont déportées dans un coin du tableau, laissant la place à des sols qui remontent à la verticale, au centre de l'œuvre. Quand leur corps n'est pas tordu par l'exercice, quand elles ne se sont pas « cassées » à la barre, les danseuses apparaissent de dos, dans une mimique ingrate. La liberté que prend Degas avec ses modèles comme avec la représentation des espaces, cadrant et décadrant, est inouïe. Il observe ou recrée, seul. En témoigne cette demande faite à un amateur : « Avez-vous le pouvoir de me faire donner par l'Opéra une entrée pour le jour de l'examen de danse, qui doit être jeudi, à ce que l'on me dit ? J'en ai tant fait de ces examens de danse sans les avoir vus que j'en suis un peu honteux ! »

EDGAR DEGAS,
La Classe de danse,
vers 1873-1876.
Huile sur toile,
85 × 75 cm.

Détail double page suivante

DIAGONALES

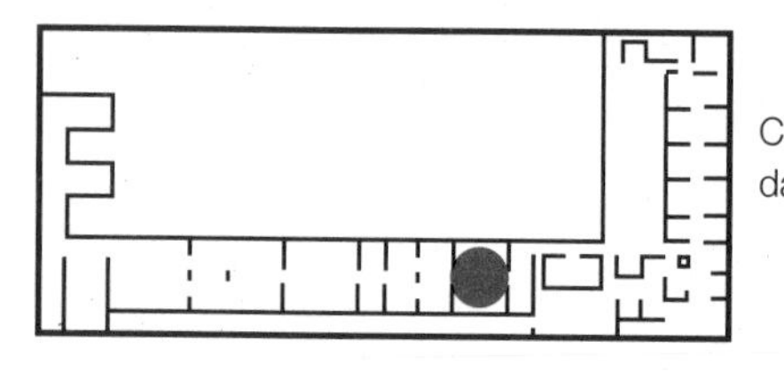

Ces œuvres sont situées au niveau supérieur, dans la salle 36.

PAUL CÉZANNE,
Portrait de l'artiste,
vers 1873-1876.
Huile sur toile,
64 × 53 cm.

Après une période sombre et empâtée qu'il qualifiait lui-même de « couillarde » ou de « peinture au pistolet », Paul Cézanne livre dans les années 1870 des paysages charpentés. Tout est structuré, de la touche à la composition, et une diagonale divise la toile en deux : « C'est comme une carte à jouer, écrit-il à son ami et maître, Pissarro, en 1876. Le soleil y est si effrayant qu'il me semble que les objets s'enlèvent en silhouette [...]. Je puis me tromper, mais il me semble que c'est l'antipode du modelé. »

PAUL CÉZANNE,
L'Estaque,
vers 1878-1879.
Huile sur toile,
59,5 × 73 cm.

Ci-contre :
PAUL CÉZANNE,
Le Pont de Maincy,
vers 1879.
Huile sur toile,
58,5 × 72,5 cm.

LENTEMENT

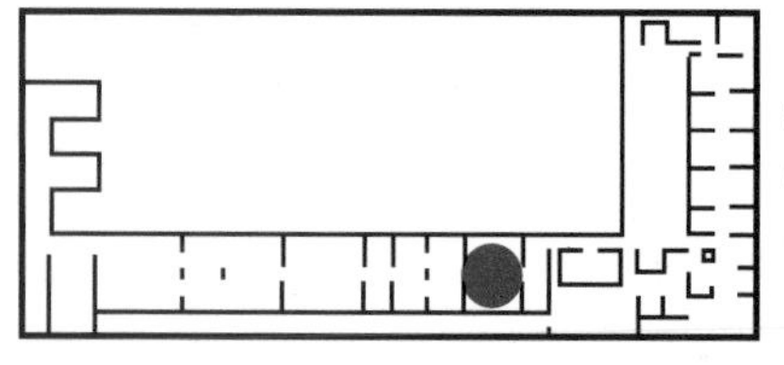

Ces œuvres sont situées au niveau supérieur, dans la salle 36.

PAUL CÉZANNE,
Les Joueurs de cartes, vers 1890-1895.
Huile sur toile, 47,5 × 57 cm.
Détail double page précédente.

Page de droite :
PAUL CÉZANNE,
La Femme à la cafetière, vers 1890-1895.
Huile sur toile, 130,5 × 96,5 cm.

PAUL CÉZANNE,
Baigneurs, vers 1890-1892.
Huile sur toile, 60 × 82 cm.

Cézanne peint lentement, et le modèle, jour après jour, est prié d'avoir la patience... d'une nature morte, qu'il s'agisse d'une femme massive, statufiée près d'une cafetière, ou de figures de paysans réparties de part et d'autre d'une bouteille et d'un plateau de table. Car Cézanne travaille les corps comme il s'attaque aux objets, dégageant, rabattant, redressant les espaces. Là où on attendait un portrait, une scène de genre rustique ou une baignade en plein air, il fait surgir les facettes vibrantes de ses plans colorés.

GÉOMÉTRIE COLORÉE

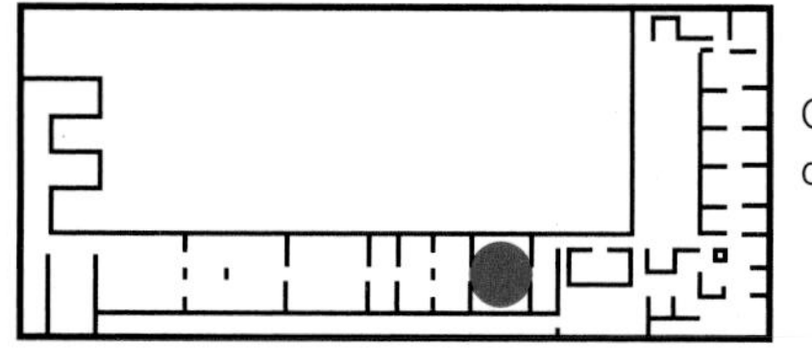

Ces œuvres sont situées au niveau supérieur, dans la salle 36.

PAUL CÉZANNE,
Le Vase bleu, vers 1885-1887.
Huile sur toile, 61 × 50 cm.

PAUL CÉZANNE,
Pommes et oranges, vers 1895-1900.
Huile sur toile, 74 × 93 cm.

« Pour les progrès à réaliser, il n'y a que la nature et l'œil s'éduque à son contact. Il devient concentrique à force de regarder et de travailler. Je veux dire que dans une orange, une pomme, une boule, une tête, il y a un point culminant, et ce point est toujours le plus rapproché de notre œil, les bords des objets fuient vers un centre placé à notre horizon, avec un petit tempérament on peut être très-peintre. On peut faire des choses bien sans être très-harmoniste, ni coloriste. Il suffit d'avoir un sens d'art. – Et c'est sans doute l'horreur du bourgeois, ce sens là. – Donc les instituts, les pensions, les honneurs ne peuvent être faits que pour les crétins, les farceurs et les drôles. Ne soyez pas critique d'art, faites de la peinture. »

Paul Cézanne, lettre à Émile Bernard, 25 juillet 1904.

APRÈS L'IMPRESSIONNISME

HARMONIE DES CONTRAIRES

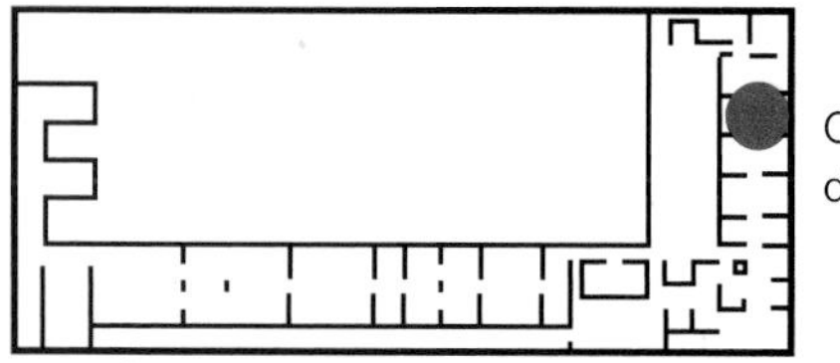

Ces œuvres sont situées au niveau supérieur, dans la salle 45.

GEORGES SEURAT, *Le Cirque*, 1891.
Huile sur toile, 185,5 × 152,5 cm.

GEORGES SEURAT, *Poseuse de dos*, 1887.
Huile sur bois, 24,5 × 15,5 cm.

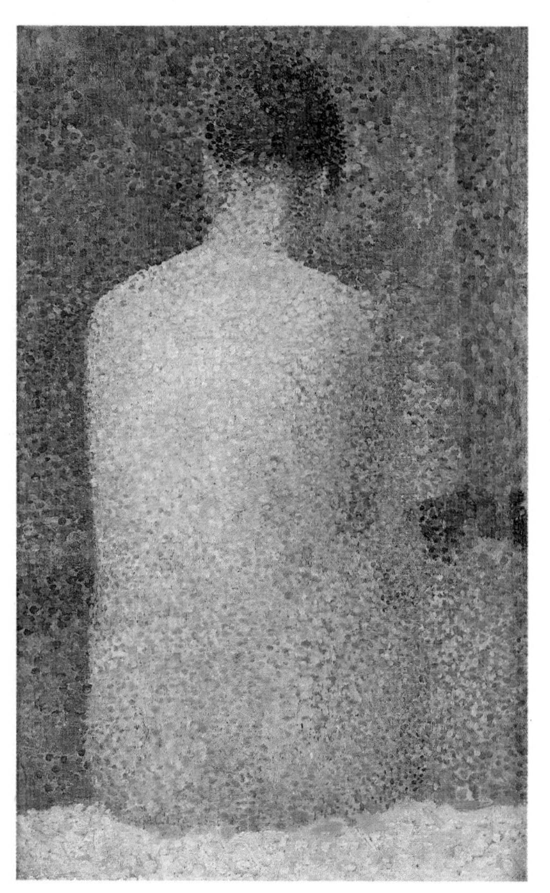

Georges Seurat est théoricien et poète de la couleur : « L'art c'est l'Harmonie, écrit-il le 28 août 1890. L'Harmonie c'est l'analogie des contraires, l'analogie des semblables, de ton, de teinte, de ligne, considérés par la dominante et sous l'influence d'un éclairage en combinaisons gaies, calmes ou tristes. Les contraires ce sont : pour le ton, un plus lumineux/clair pour un plus sombre. Pour la teinte, les complémentaires, c'est-à-dire un certain rouge opposé à sa complémentaire, etc. (rouge-vert ; orange-bleu ; jaune-violet). Pour la ligne, celles faisant un angle droit. La gaieté de ton, c'est la dominante lumineuse ; de teinte, la dominante chaude ; de ligne, les lignes au-dessus de l'horizontale. »

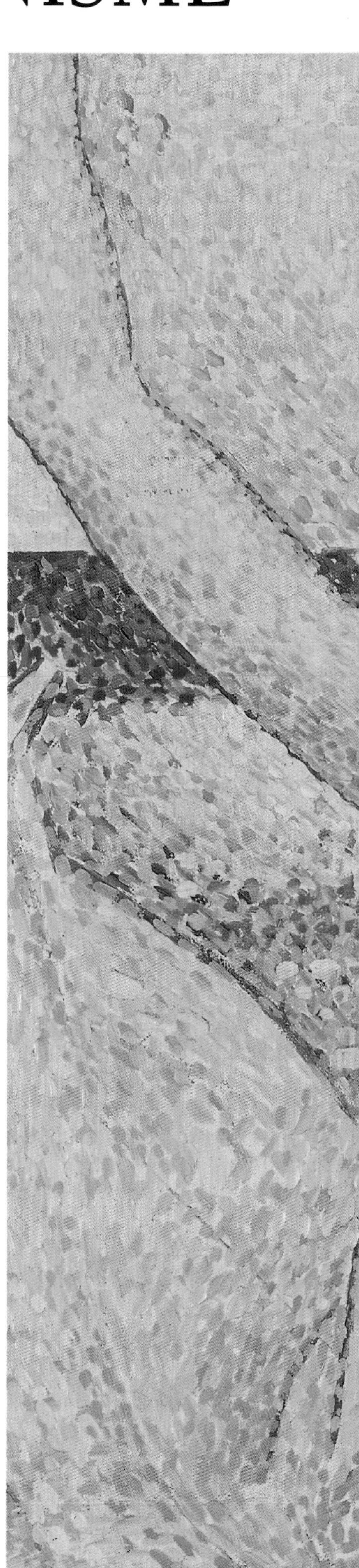

UNE TOUCHE QUI DIVISE

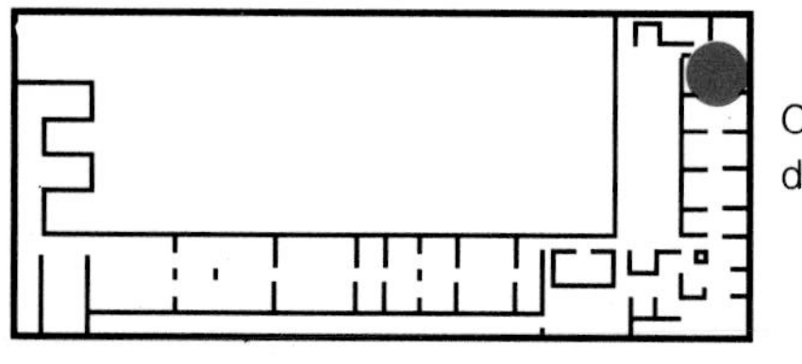

Ces œuvres sont situées au niveau supérieur, dans la salle 46.

THÉO VAN RYSSELBERGHE,
L'Homme à la barre,
1892. Huile sur toile,
60,2 × 80,3 cm.

Page de droite :
PAUL SIGNAC,
La Bouée rouge,
1895. Huile sur toile,
81 × 65 cm.

HENRI-EDMOND DELACROIX,
dit HENRI-EDMOND CROSS,
La Chevelure, vers 1892.
Huile sur toile, 61 × 46 cm.

Si les « néo-impressionnistes » privilégient le mélange optique des couleurs au mélange sur la palette, si pour atteindre une intensité lumineuse maximale ils fractionnent, divisent leur touche, ces « divisionnistes » divisent aussi le monde de l'art. D'un côté se tient Signac, l'auteur de l'ouvrage-manifeste *D'Eugène Delacroix au néo-impressionnisme*, publié en 1899 et dédié à Seurat. Sont entre autres avec lui Cross, Pissarro et le critique Félix Fénéon. En face, ironiques ou féroces, voici les détracteurs : Paul Gauguin et Émile Bernard se moquent de ces « pointillistes » qui prétendent appliquer des principes scientifiques à leur art et qui, besogneux, appliquent des petits points. En leur honneur, ils entonnent une « Mélopée des petits points » baptisée « Ripipointillades »...

TROIS COULEURS JAUNE...

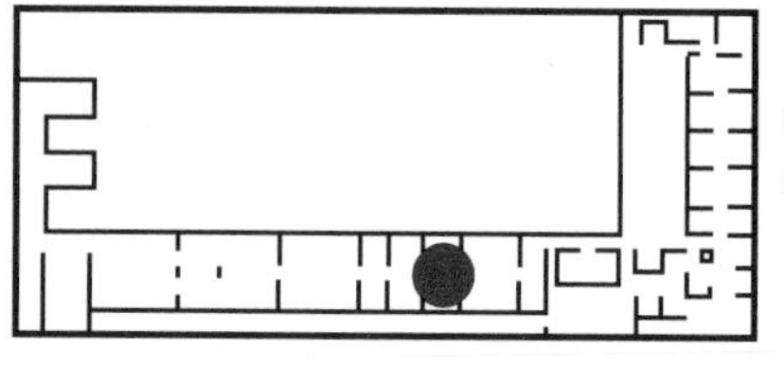

Ces œuvres sont situées au niveau supérieur, dans la salle 35.

VINCENT VAN GOGH, *Eugène Boch*, Arles, 1888. Huile sur toile, 60 × 45 cm.

VINCENT VAN GOGH, *L'Arlésienne*, Arles, 1888. Huile sur toile, 92,5 × 73,5 cm.

Page de droite :
VINCENT VAN GOGH, *L'Italienne*, Paris, 1887. Huile sur toile, 81 × 60 cm.

Jaune citron, jaune d'or, bleu outremer : d'un tableau à l'autre les figures se détachent sur des fonds brossés en aplat. Pas le moindre décor qui serve d'arrière-plan, qui indique une perspective. Ainsi Van Gogh a-t-il choisi de représenter trois personnages qui ont traversé sa vie. Agostina Segatori est cette *Italienne*, la patronne du Tambourin, un restaurant établi boulevard de Clichy, à Paris. Mme Ginoux est cette *Arlésienne*, qui tenait le café de la Gare, place Lamartine, à Arles. L'homme au complet est un ami peintre.

L'ATELIER DU MIDI

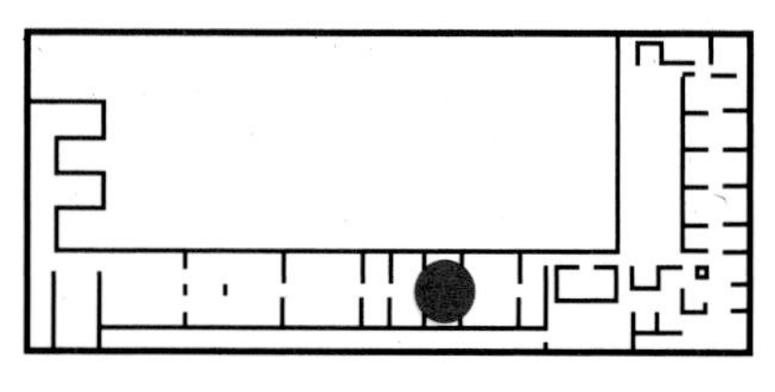

Ces œuvres sont situées au niveau supérieur, dans la salle 35.

Quand Vincent le Nordique, quand ce natif du Brabant hollandais découvre la ville d'Arles, cette découverte est pour lui l'amorce d'un rêve : attirer ici les artistes, fonder un atelier du Midi. Ainsi le précise-t-il à son frère Théo au printemps 1888 : « Je souhaiterais pour bien des raisons pouvoir fonder un pied-à-terre, qui en cas d'éreintement, pourrait servir à mettre au vert les pauvres chevaux de fiacre de Paris, qui sont toi-même et plusieurs de nos amis, les impressionnistes pauvres. » Il se met en quête d'une maison, qui abritera un atelier. « Puis il y aura ma chambre à coucher, que je voudrais excessivement simple, mais des meubles carrés et larges : le lit, les chaises, la table, tout en bois blanc. » Enfin, il attend. Seul Paul Gauguin viendra le rejoindre mais ne restera que deux mois. Le rêve communautaire aura vécu.

VINCENT VAN GOGH,
La Salle de danse à Arles,
1888. Huile sur toile, 65 × 81 cm.

En haut :
VINCENT VAN GOGH,
Portrait de l'artiste,
Saint-Rémy-de-Provence, 1889.
Huile sur toile, 65 × 54,5 cm.

VINCENT VAN GOGH,
La Chambre de Van Gogh à Arles,
1889. Huile sur toile, 57,5 × 74 cm.
Détail double page précédente.

LETTRE À THÉO

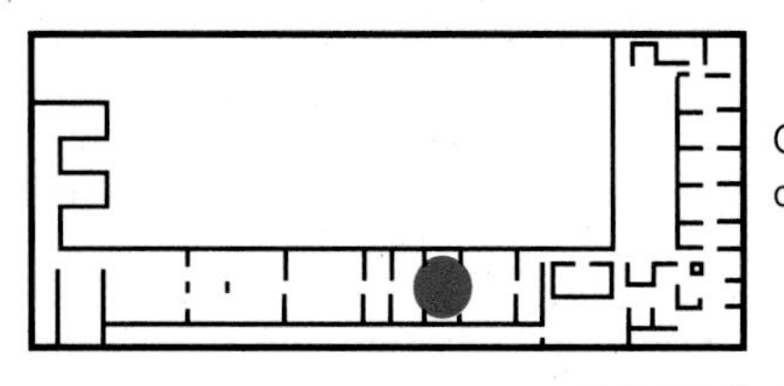

Ces œuvres sont situées au niveau supérieur, dans les salles 35 et 50.

VINCENT VAN GOGH,
Hôpital Saint-Paul à Saint-Rémy-de-Provence,
1889. Huile sur toile, 63 × 48 cm.

VINCENT VAN GOGH,
La Nuit étoilée, Arles, 1888.
Huile sur toile, 72,5 × 92 cm.

« Mon cher frère – c'est toujours entre-temps du travail que je t'écris – je laboure comme un vrai possédé, j'ai une fureur sourde de travail plus que jamais. Et je crois que ça contribuera à me guérir. Peut-être m'arrivera-t-il une chose comme celle dont parle Eugène Delacroix "j'ai trouvé la peinture lorsque je n'avais plus ni dents ni souffle" dans ce sens que ma triste maladie me fait travailler avec une fureur sourde – très lentement – mais du matin au soir sans lâcher et – c'est probablement là le secret – travailler longtemps et lentement. »

Vincent Van Gogh,
lettre à Théo,
Saint-Rémy-de-Provence,
septembre 1889.

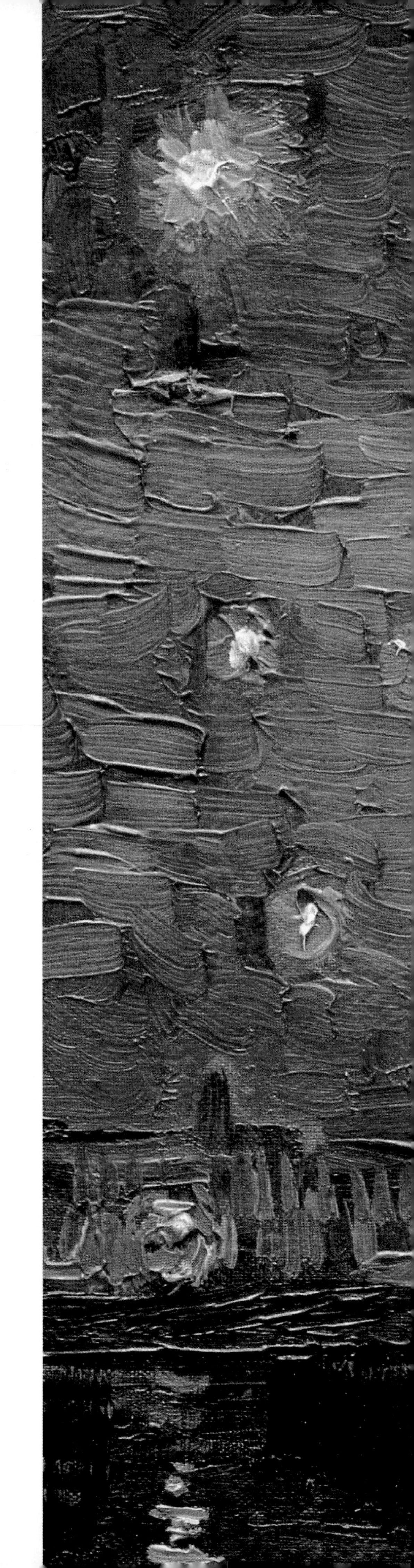

À AUVERS

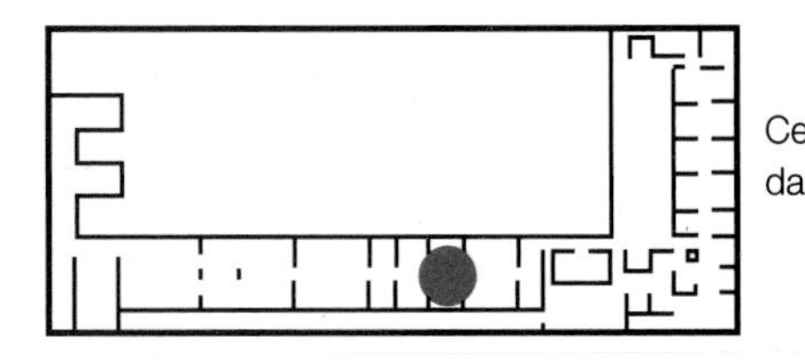

Ces œuvres sont situées au niveau supérieur, dans la salle 35.

VINCENT VAN GOGH,
Le Docteur Paul Gachet, Auvers-sur-Oise, 1890. Huile sur toile, 68 × 57 cm.

Figure du peintre maudit, allégorie du génie créateur frôlant la folie à chaque pas : autour de Van Gogh s'est très vite bâti ce mythe de l'artiste illuminé, mort au combat de la peinture dans un champ de blé. Ce mythe ne laissa pas indifférent un cinéaste tel que Maurice Pialat qui s'y attaqua, débarrassant alors le peintre de tout ce qui nous empêchait de le voir. Tourné un siècle après la mort de Van Gogh, le film s'attache à évoquer les derniers mois de cet homme débarqué à Auvers-sur-Oise, en mai 1890 : installé parmi les plus humbles, au village, Vincent travaillait beaucoup, était souvent seul, têtu, déterminé et plein de doute, emporté, découragé.

VINCENT VAN GOGH,
L'Église d'Auvers-sur-Oise, vue du chevet, 1890. Huile sur toile, 94 × 74,5 cm.

VINCENT VAN GOGH,
Deux Fillettes, Auvers-sur-Oise, 1890. Huile sur toile, 51,2 × 51 cm.

SÉJOURS BRETONS

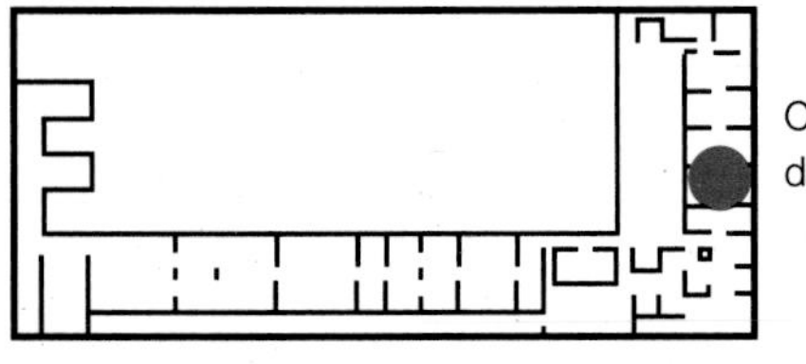

Ces œuvres sont situées au niveau supérieur, dans la salle 43.

PAUL GAUGUIN,
Autoportrait au Christ jaune,
1889-1890.
Huile sur toile, 38 × 46 cm.

PAUL GAUGUIN,
La Belle Angèle, 1889.
Huile sur toile, 92 × 73 cm.

De même qu'il existait une géographie de l'impressionnisme qui, cheminant d'Argenteuil à Pontoise, suivait Monet ou Pissarro, de même peuvent être précisés et décrits tous les lieux où résida, en quête d'exotisme mais aussi faute d'argent, Paul Gauguin. Délaissant l'Île-de-France et ses bords de Seine peut-être trop familiers et déjà trop fréquentés, il partit s'installer en juillet 1886 à Pont-Aven, à la pension de Marie-Jeanne Gloanec – où résidaient déjà nombre d'artistes –, et y revint plusieurs fois. Puis il s'éloigna quelque peu et, dans l'hiver 1889-1890, séjourna au Pouldu, à l'auberge de Marie Henry, faisant le portrait des jolies Bretonnes. Il s'éloigna encore et débarqua le 9 juin 1891 à Tahiti.

EN LANGUE MAORIE

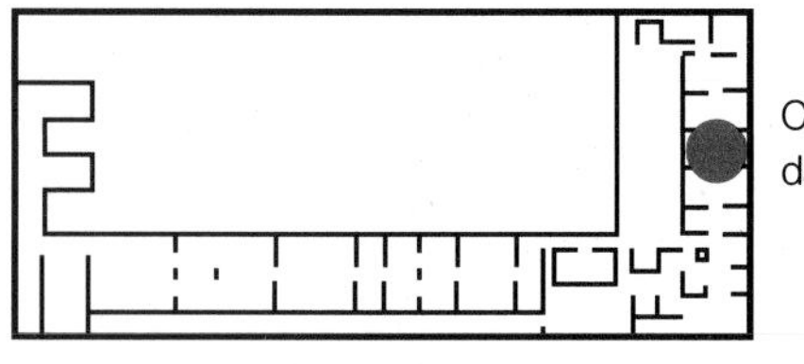

Ces œuvres sont situées au niveau supérieur, dans la salle 44.

PAUL GAUGUIN, *Arearea (Joyeusetés)*, 1892. Huile sur toile, 75 × 94 cm.

PAUL GAUGUIN, *Idole à la perle*, 1893. Bois peint et doré avec perle et chaîne en or, h : 23 cm.

Si *Noa Noa. Voyage à Tahiti*, un manuscrit travaillé et illustré par Gauguin dans les années 1890, reflète ce qu'il apprit et transcrivit d'une culture, de ses histoires de génies et de dieux tutélaires, les tableaux du peintre recomposent un petit lexique de la langue maorie et sont l'évocation poétique d'une vie quotidienne. *Vahiné no te tiare* est une femme à la fleur, *Te faaturuma*, c'est être silencieuse, morne et soucieuse. *Te fare* est la maison, *Te matete* le marché, *Fatata te miti* est près de la mer. *Te nave nave Fenua* désigne la terre délicieuse, *Pape moe* l'eau mystérieuse, *Te rerioa* un rêve. *Parahi te marae*, là se trouve le temple, *Manao Tupapau*, quand l'esprit des morts veille. Et si *Otahi* est seule, *Noa noa* est parfumée.

ELLE ÉCOUTAIT LE PARFUM DE SA FLEUR

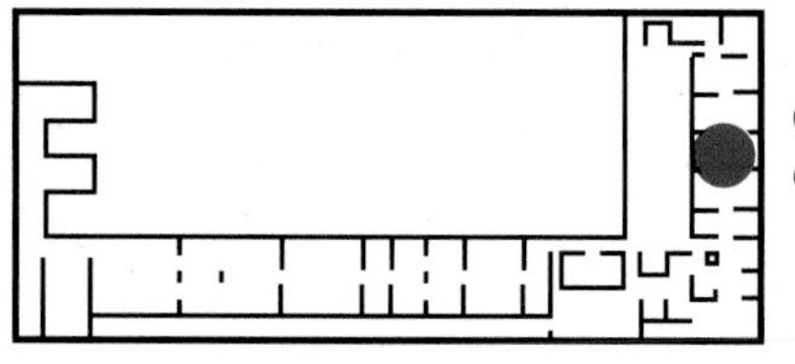

Ces œuvres sont situées au niveau supérieur, dans la salle 44.

PAUL GAUGUIN,
Soyez mystérieuses,
1891. Bois polychrome,
73 × 95 cm.

La découverte des Tropiques par un Occidental parti à la recherche d'un ailleurs primitif est décevante : Papeete est une ville trop marquée par cette « sotte civilisation coloniale », se plaint Gauguin. Même si approcher l'un de ses premiers modèles semble avoir été un bonheur : « Pour bien m'initier à ce caractère d'un visage tahitien, à tout ce charme d'un sourire maorie, je désirais depuis longtemps faire un portrait d'une voisine de vraie race tahitienne. Je le lui demandais un jour qu'elle s'était enhardie à venir regarder dans ma case des images photographiques de tableaux [...]. Je travaillai vite, avec passion. Ce fut un portrait ressemblant à ce que mes yeux *voilés par mon cœur* ont aperçu. Je crois surtout qu'il fut ressemblant à l'intérieur. Ce feu robuste d'une force contenue. Elle avait une fleur à l'oreille qui écoutait son parfum. »

PAUL GAUGUIN,
Le Repas ou *Les Bananes*,
1891. Huile sur papier marouflé sur toile,
73 × 92 cm.

Page de droite :
PAUL GAUGUIN,
Femmes de Tahiti
ou *Sur la plage*, 1891.
Huile sur toile,
69 × 91,5 cm.

AU BOIS D'AMOUR

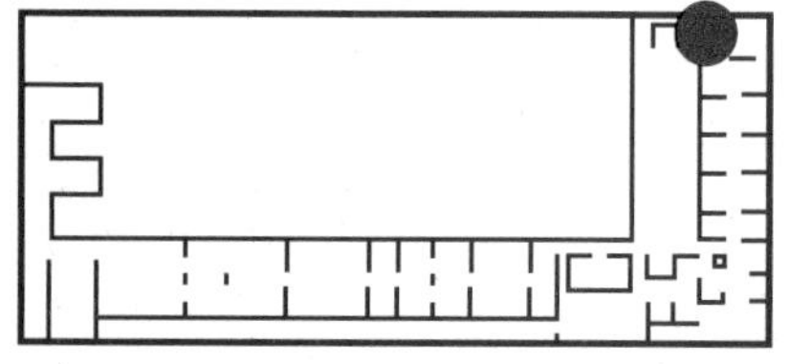

Ces œuvres sont situées au niveau supérieur, dans les salles 43 et 48.

ÉMILE BERNARD, *Madeleine au bois d'Amour*, 1888. Huile sur toile, 138 × 163 cm.

Page de droite : PAUL SÉRUSIER, *Le Talisman*, 1888. Huile sur bois, 27 × 21,5 cm. Inscription au revers : « fait en octobre 1888 sous la direction de Gauguin par P. Sérusier. Pont-Aven. »

PAUL SÉRUSIER, *L'Averse*, 1893. Huile sur toile, 73,5 × 60 cm.

« C'est à la rentrée de 1888, raconta Maurice Denis, que le nom de Gauguin nous fut révélé par Sérusier, de retour de Pont-Aven, qui nous exhiba, non sans mystère, un couvercle de boîte à cigares sur quoi on distinguait un paysage informe à force d'être synthétiquement formulé, en violet, vermillon, vert véronèse et autres couleurs pures, telles qu'elles sortent du tube, presque sans mélange de blanc. "Comment voyez-vous cet arbre", avait dit Gauguin devant un coin du bois d'Amour : il est bien vert ? Mettez donc du vert, le plus beau vert de votre palette ; – et cette ombre, plutôt bleue ? Ne craignez pas de la peindre aussi bleue que possible. Ainsi nous fut présenté, pour la première fois, sous une forme paradoxale, inoubliable, le fertile concept de la "surface plane recouverte de couleurs en un certain ordre assemblées". Ainsi nous connûmes que toute œuvre d'art était une transposition, une caricature, l'équivalent passionné d'une sensation reçue... »

LA FOIRE DU TRÔNE

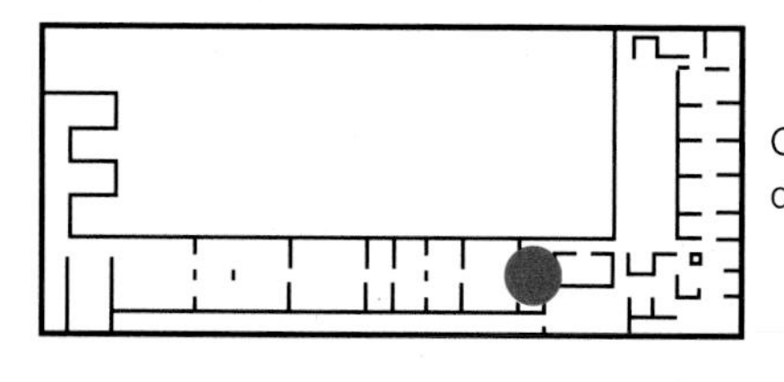

Ces œuvres sont situées au niveau supérieur, dans la galerie des hauteurs et dans la salle 47.

En cette fin de siècle les artistes descendent dans la rue, ils gagnent les hauts lieux de la noce montmartroise, hantent les caf'conc' et s'acoquinent avec les filles. Certains, tel le dénommé Henri Marie Raymond de Toulouse-Lautrec-Monfa, vont jusqu'à orner une baraque de panneaux pour la reine du « quadrille naturaliste », pour cette Goulue – tout un programme… – qui, à la foire du Trône, présente un spectacle à tendance orientale, délaissant ses compagnons du Moulin-Rouge, la Môme Fromage, Nini-Patte-en-l'Air, Grille d'Égout et Valentin le Désossé. Sensible à ses effets de jambes, le tout-Paris est là, à ses pieds.

HENRI DE TOULOUSE-LAUTREC, *La Clownesse Cha-U-Kao*, 1895. Huile sur carton, 64 × 49 cm.

Page de droite : HENRI DE TOULOUSE-LAUTREC, *La Danse au Moulin-Rouge (La Goulue et Valentin le Désossé)*, 1895. Huile sur toile, 298 × 316 cm.

HENRI DE TOULOUSE-LAUTREC, *Jane Avril dansant*, 1891. Huile sur carton, 85,5 × 45 cm.

LES FEMMES DES MAISONS

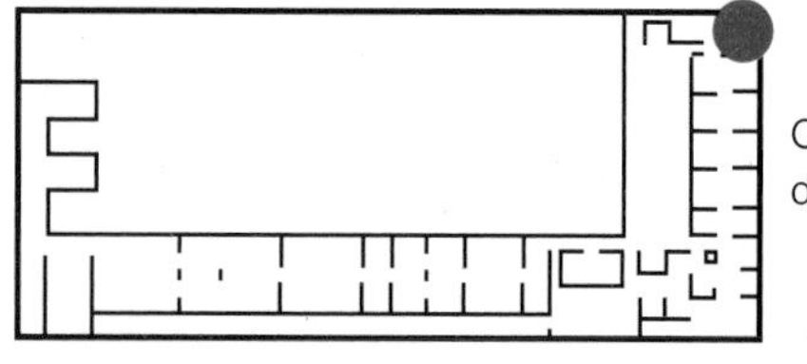

Ces œuvres sont situées au niveau supérieur, dans la salle 47.

Henri de Toulouse-Lautrec, *Femme tirant son bas*, 1894. Huile sur carton, 58 × 46 cm.

Henri de Toulouse-Lautrec, *Le Lit*, vers 1892. Huile sur carton collé sur panneau parqueté, 54 × 70,5 cm.

Page de droite : Henri de Toulouse-Lautrec, *La Toilette*, 1896. Huile sur carton, 67 × 54 cm.

Au XIXe siècle, les lieux de prostitution sont nombreux. Lautrec les connaît bien, lui qui, afin de mieux observer ses modèles, élit domicile en l'un de ces établissements, 6, rue des Moulins. Et si le mot ancien « bordel » reste utilisé – venant du français médiéval « borde », qui signifie « cabane » –, on use de termes plus généraux, d'euphémismes plus discrets : maisons publiques ou maisons closes, maisons de passe ou de tolérance. Tandis que les plus luxueuses, les « grandes tolérances », offrent grand confort, les plus misérables accueillent les « filles soumises » – les « insoumises » sont celles qui travaillent dehors. On dort le plus souvent dans des chambrées, dans des dortoirs, appelés « chenils » ou « poulaillers ». Deux pensionnaires partagent parfois le même lit.

LE RÊVE D'UN DOUANIER

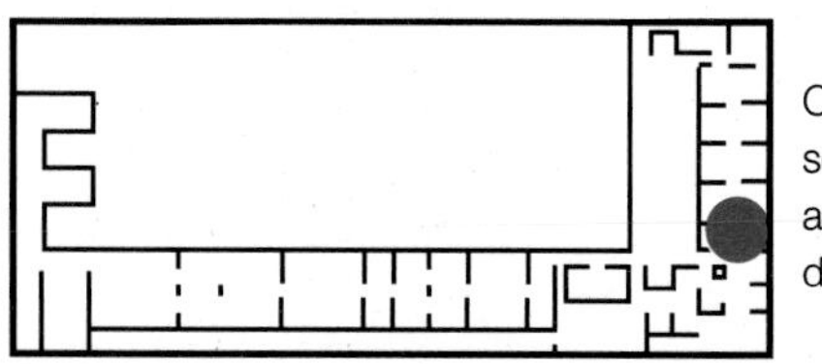

Ces œuvres sont situées au niveau supérieur, dans la salle 42.

« C'est après de bien dures épreuves qu'il arriva à se faire connaître de nombre d'artistes qui l'environnent. Il s'est perfectionné, de plus en plus, dans le genre original qu'il a adopté et est en passe de devenir l'un de nos meilleurs peintres réalistes. » Voilà comment Rousseau l'autodidacte définit et défend lui-même son art. Parce qu'il fut commis à l'octroi de Paris, il reçoit le surnom de « douanier » ; les artistes et les poètes du début du XXe siècle se prennent de passion pour lui : en 1908, Picasso et Max Jacob, Apollinaire et Marie Laurencin, Brancusi et d'autres organisent en son honneur un grand banquet dans l'atelier du Bateau-Lavoir, à Montmartre. Hommage est rendu au grand Rousseau, sensible à un fantastique guerrier ou à un exotisme tropical de fantaisie.

HENRI ROUSSEAU,
dit LE DOUANIER ROUSSEAU,
La Guerre ou *La Chevauchée de la Discorde*, 1894.
Huile sur toile,
114 × 195 cm.

Ci-contre :
HENRI ROUSSEAU,
dit LE DOUANIER ROUSSEAU,
La Charmeuse de serpents,
1907. Huile sur toile,
169 × 189 cm.

UN « NABI JAPONARD »

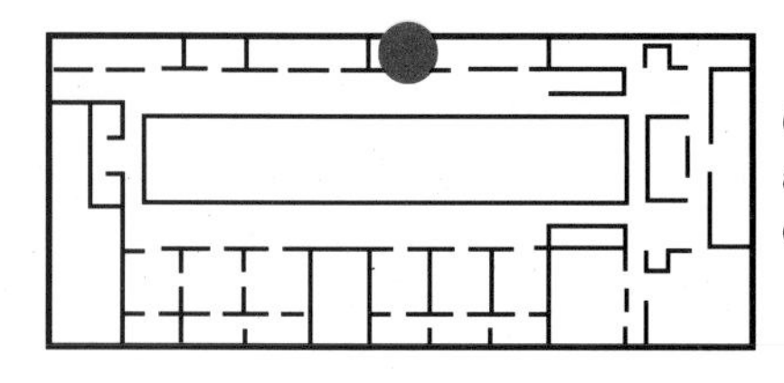

Ces œuvres sont situées
au niveau supérieur, dans la salle 48,
et au niveau médian, dans les salles 70 et 72.

C'est à un *Talisman* coloré, petit morceau de nature peint par Paul Sérusier en 1888, que décident de se rallier de jeunes peintres. Ils se trouvent un nom, les « nabis » – de l'hébreu *nebiim*, « prophètes » –, se réunissent chez l'un d'entre eux, dans le « temple ». Talisman, prophètes et temple : le ton est donné. Ce mot « nabis », racontera Maurice Denis, alors âgé de dix-huit ans, « faisait de nous des initiés, une sorte de société secrète d'allure mystique, et proclamait que l'état d'enthousiasme prophétique nous était habituel ». Parce qu'il aime les compositions décentrées et les aplats des estampes japonaises, Pierre Bonnard devient un « nabi japonard ».

PIERRE BONNARD,
Le Corsage à carreaux,
1892. Huile sur toile,
61 × 33 cm.

PIERRE BONNARD,
Femme assoupie sur un lit
ou *L'Indolente*, 1899.
Huile sur toile,
96 × 106 cm.

Ci-dessous :
PIERRE BONNARD,
Crépuscule
ou *La Partie de croquet*,
1892. Huile sur toile,
130 × 162 cm.

DÉCORER LA VIE

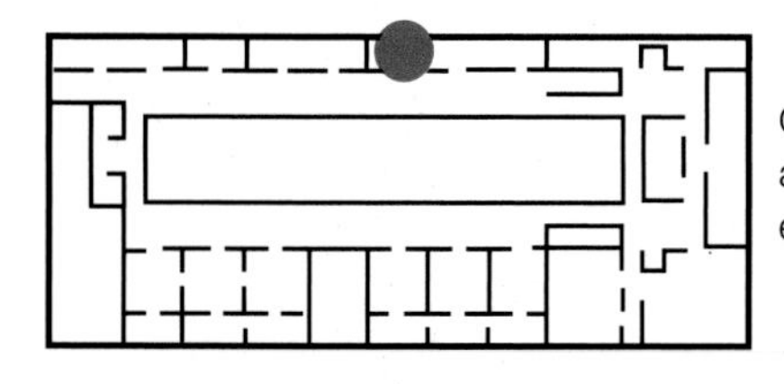

Ces œuvres sont situées au niveau supérieur, dans la salle 48, et au niveau médian, dans la salle 70.

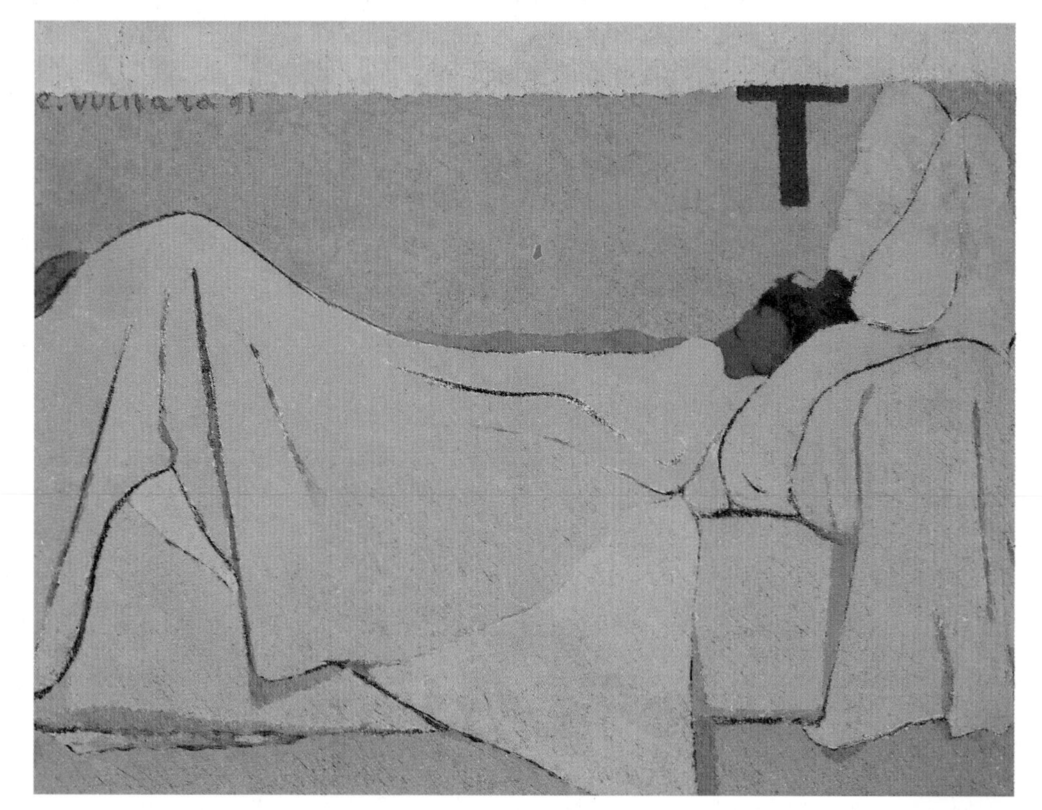

ÉDOUARD VUILLARD, *Au lit*, 1891. Huile sur toile, 73 × 92,5 cm.

Page de droite : ÉDOUARD VUILLARD, *La Conversation*, 1894, panneau central des *Jardins publics*, décoration de la salle à manger de l'hôtel particulier d'Alexandre Natanson, à Paris. Peinture à la colle sur toile, 213 × 154 cm.

ÉDOUARD VUILLARD, *Femme de profil au chapeau vert*, vers 1891. Huile sur carton, 21 × 16 cm.

Se frottant à toutes les techniques et les textures, de la peinture à la colle à la peinture au sable, s'essayant à tous les supports, Vuillard est baptisé par ses amis nabis le « zouave ». Avec eux, il prône l'intrusion de l'art dans la vie, l'indistinction entre beaux-arts et arts décoratifs. « Vers le début de 1890, se souvint Jan Verkade, un cri de guerre fut lancé d'un atelier à l'autre : plus de tableau de chevalet ! À bas les meubles inutiles ! La peinture ne doit pas usurper une liberté qui l'isole des autres arts. Le travail du peintre commence où l'architecture considère le sien comme terminé. Le mur doit rester surface, ne doit pas être percé pour la représentation d'horizons infinis. Il n'y a pas de tableaux, il n'y a que des décorations. » Ces décorations prennent la forme de vitraux et de tapisseries, de paravents et de panneaux ornant une salle à manger.

DES MUSES MODERNES

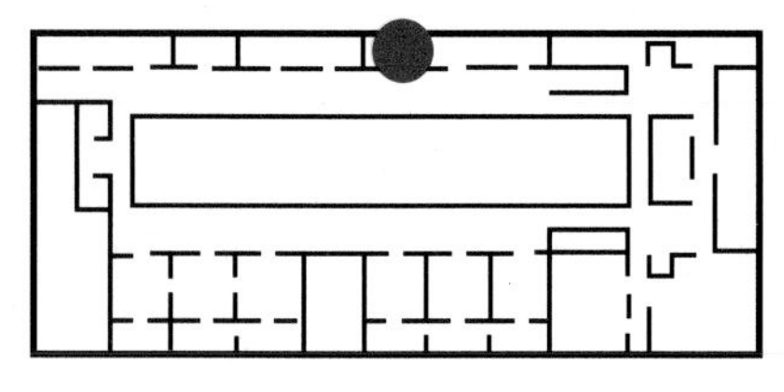

Ces œuvres sont situées
au niveau supérieur, dans la salle 48,
et au niveau médian, dans la salle 70.

MAURICE DENIS
(surnommé le « nabi
aux belles icônes »),
Taches de soleil sur la terrasse,
1890. Huile sur carton,
24 × 20,5 cm.

MAURICE DENIS,
Les Muses, 1893.
Huile sur toile,
171 × 137 cm.

Elles sont issues des neuf nuits d'amour de Jupiter et de Mnémosyne, la personnification de la mémoire ; elles résident sur le mont Olympe et quelquefois assistent aux cérémonies et aux fêtes organisées par les dieux ; mais elles passent le plus clair de leur temps à offrir une inspiration sacrée au musicien ou au tragédien. Voici les divinités des Arts et des Sciences, voici les Muses. Maurice Denis les a dépouillées de leurs attributs, couronne de laurier, flûte, viole, compas..., les transformant en des femmes fin de siècle.

BALLON ROUGE

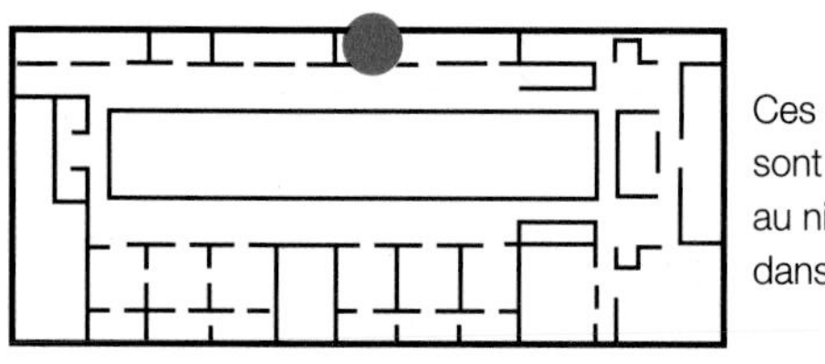

Ces œuvres sont situées au niveau médian, dans la salle 70.

Le « nabi étranger » peint la nuit et le jour. La nuit, il dresse, face à nous et de dos, un étrange autoportrait, silhouette massive dînant à la lumière d'une lampe où court un chat noir. Le jour, imprimant à sa composition et à ses longues touches vertes un mouvement vers la droite, il trace la trajectoire probable d'un petit point rouge, il suggère la course d'une minuscule fillette dans un espace devenu démesuré. Tels sont une nuit et un jour vus par le Suisse Félix Vallotton.

FÉLIX VALLOTTON,
Le Dîner, effet de lampe,
1899. Huile sur bois,
57 × 89,5 cm.

FÉLIX VALLOTTON,
Le Ballon, 1899.
Huile sur carton
collé sur bois,
48 × 61 cm.

LA RÉALITÉ DE L'INTÉRIEUR

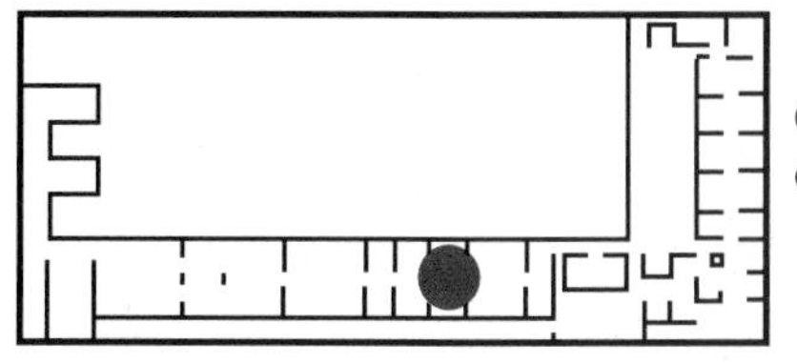

Ces œuvres sont situées au niveau supérieur, dans la salle 35.

ODILON REDON,
Paul Gauguin, 1903-1905.
Huile sur toile, 66 × 54,5 cm.

Page de droite :
ODILON REDON,
Les Yeux clos, 1890.
Huile sur carton, 44 × 36 cm.

Odilon Redon a choisi d'être contemporain de sa fin de siècle, partageant avec d'autres peintres symbolistes un refus de tout réalisme, un désir de figurer non pas ce qui vient de l'extérieur mais ce qui surgit une fois les yeux fermés. En tentant de placer, précise-t-il, « la logique du visible au service de l'invisible ». Cela peut prendre l'apparence d'un portrait posthume, l'image d'un homme disparu aux Marquises, en 1903.

VISIONS DU NORD

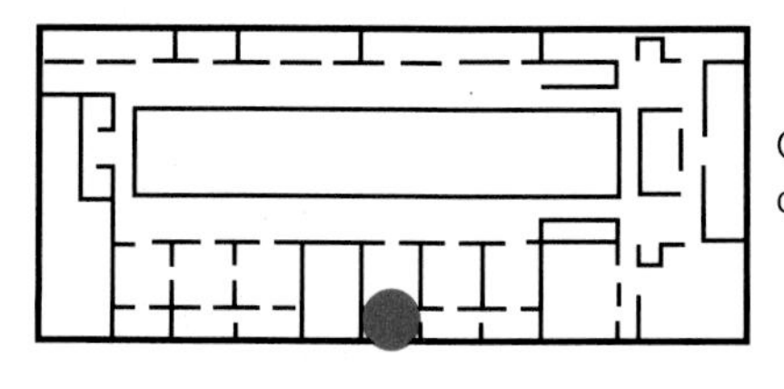

Ces œuvres sont situées au niveau médian, dans la salle 60.

JAMES ENSOR,
La Dame en détresse,
1882. Huile sur toile,
100 × 79,7 cm.

Page de droite :
GUSTAV KLIMT,
Rosiers sous les arbres, vers 1905.
Huile sur toile, 110 × 110 cm.

EDVARD MUNCH,
Nuit d'été à Aasgaardstrand, 1904.
Huile sur toile, 99 × 103 cm.

En Belgique, les poètes et les peintres semblent à l'unisson pour évoquer l'oppression d'un mal-être. Hanté par la peur d'être fou, Émile Verhaeren transcrit son pessimisme dans ses recueils, *Soirs*, *Débâcles* et *Flambeaux noirs* ; pauvre « âme en torpeur », Maurice Maeterlinck attend dans les *Serres chaudes* un peu de réveil, une fin de sommeil, un peu de soleil… James Ensor tire des rideaux jaunes sur une forme étale.

Le début du XXe siècle n'est plus aux scandales que provoquèrent les beautés météorologiques captées par les impressionnistes. Le paysage devient le théâtre d'autres combats, qu'ils soient de nature violente et contrastée, qu'ils soient de nature décorative, quand la couleur mange peu à peu tout l'espace du tableau.

« LÀ, TOUT N'EST QU'ORDRE ET BEAUTÉ »

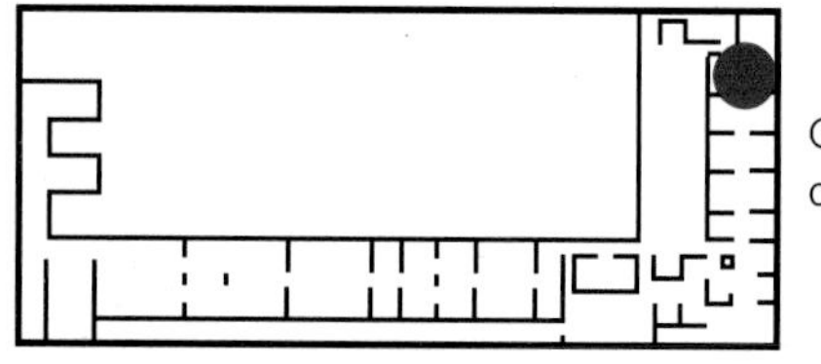

Ces œuvres sont situées au niveau supérieur, dans les salles 46 et 50.

ANDRÉ DERAIN,
Pont de Charing Cross,
vers 1906. Huile sur toile,
81 × 100 cm.

HENRI MATISSE,
Luxe, calme et volupté,
1904. Huile sur toile,
98,5 × 118 cm.

Henri Matisse a lu Baudelaire. Il connaît *L'Invitation au voyage* dont, en 1904, il tire un vers pour imprégner sa grande toile d'un sentiment de plénitude. Sans doute connaît-il aussi le « petit poème en prose » qui porte le même titre. Voici ce « vrai pays de Cocagne, où tout est beau, riche, tranquille, honnête ; où le luxe a plaisir à se mirer dans l'ordre ; où la vie est grasse et douce à respirer ; d'où le désordre, la turbulence et l'imprévu sont exclus ; où le bonheur est marié au silence ». En 1905, Matisse, Derain et d'autres provoqueront désordre et turbulence pour ce que l'on nommera leurs bariolages.

BÂTONNETS ET CRAYONS

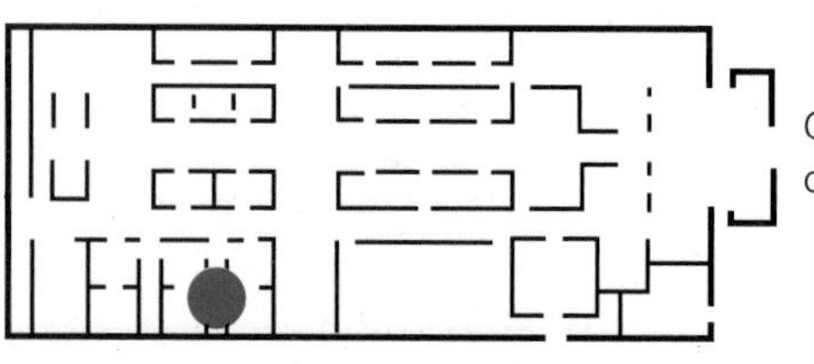

Ces œuvres sont situées au rez-de-chaussée, dans la salle 17.

HONORÉ DAUMIER,
Les Amateurs d'estampes.
Aquarelle
et rehauts de gouache,
crayon noir
et encre de Chine,
26 × 31 cm.

Page de droite :
JEAN-FRANÇOIS MILLET,
Le Bouquet de marguerites,
1871-1874.
Pastel, 68 × 83 cm.

Il note le contour d'une figure qui prendra place dans une composition générale, il capture un moment, il est une œuvre possédant sa propre fin : vision d'ensemble ou précision de détail, le dessin se prête à tout. Il fixe le trait, trace dans la couleur, expérimente les matières liquides, grasses et sèches, du lavis d'encre au crayon noir, du bâtonnet de pastel à la mine de plomb, ce crayon graphite artificiel inventé à la fin du XVIIIe siècle par l'ingénieur Nicolas Jacques Conté.

GUSTAVE COURBET,
Portrait de Juliette Courbet enfant dormant, vers 1841.
Mine de plomb, 20 × 26 cm.

J·F·Millet

UN PROFIL FARDÉ

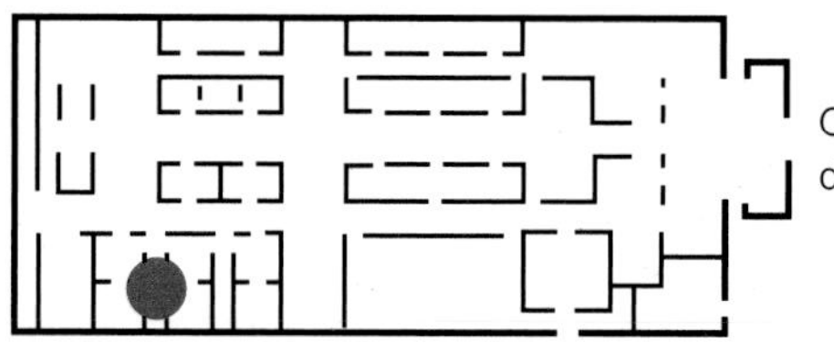

Ces œuvres sont situées au rez-de-chaussée, dans la salle 21.

ÉDOUARD MANET,
Irma Brunner,
vers 1880-1882.
Pastel, 53 × 44 cm.

Le visage est fardé, doté d'une épaisseur nacrée, brossé d'un velouté crémeux. Ce visage est celui d'un portrait travaillé au pastel. À l'instar de son modèle féminin, l'artiste farde son image, estompe le modelé, poudre la joue, appose du rouge à lèvres, marque le sourcil, compose de noir une coiffure mousseuse, laissant perler un accroche-cœur sur le front, enfin enrobe le buste du velouté d'un rose. Figures composées, sophistiquées, les femmes de Manet sont souvent des comédiennes, des peintres, telle Berthe Morisot, des demi-mondaines, telle Irma Brunner dite la Viennoise.

EDGAR DEGAS,
Portrait d'Édouard Manet,
vers 1860. Mine de plomb et lavis d'encre de Chine,
35 × 20 cm.

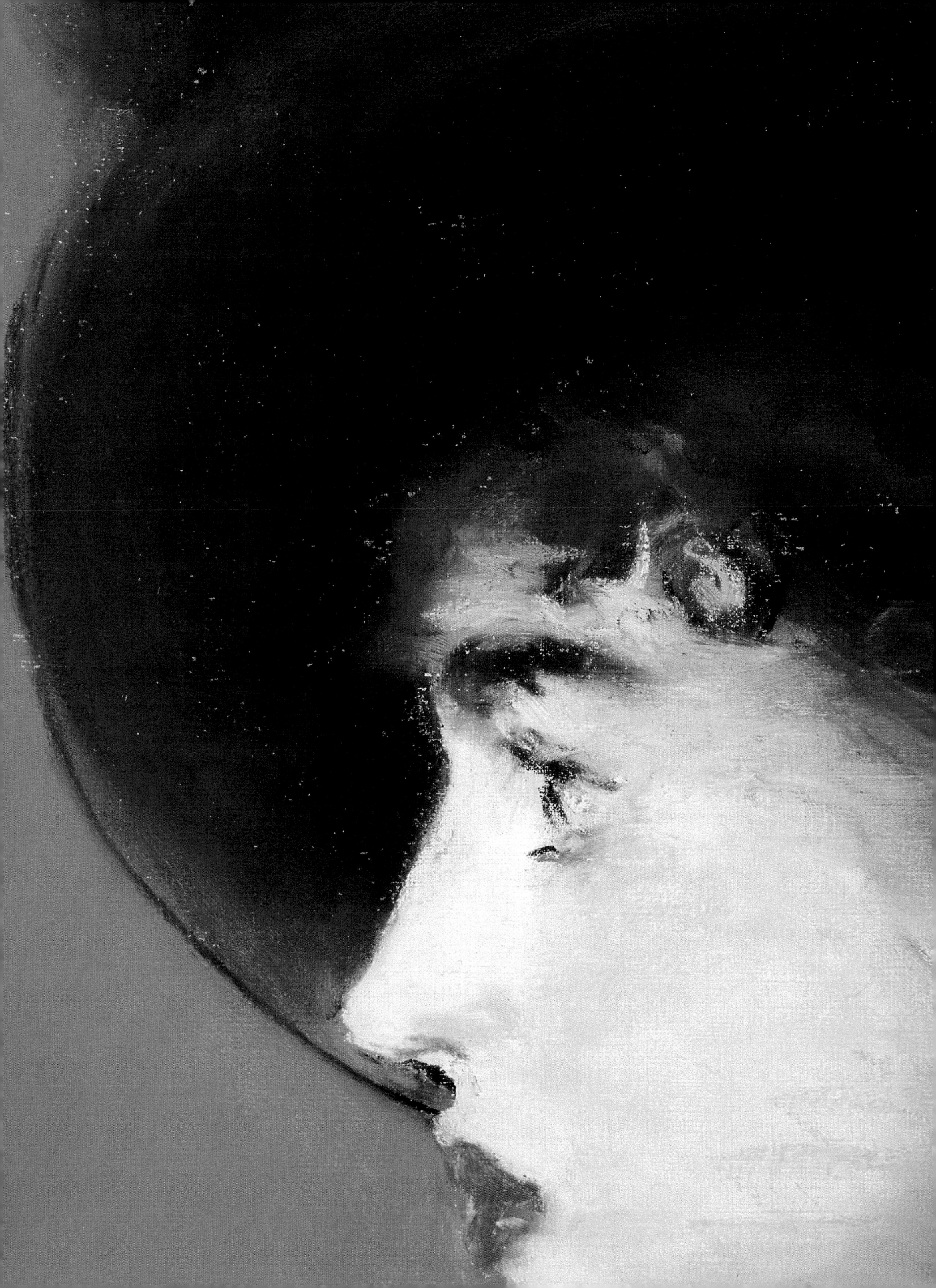

REFLETS ET OPACITÉS

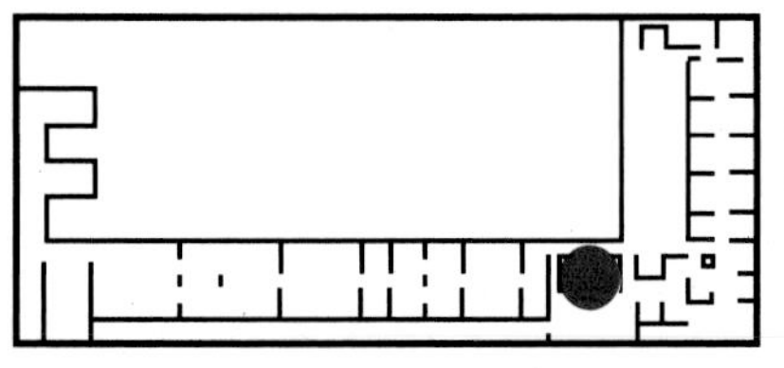

Ces œuvres sont situées au niveau supérieur, dans la salle 37.

Par la peinture à la détrempe ou à l'essence, par la gouache ou l'aquarelle et, surtout, par le pastel posé sur papier ou sur carton granuleux, Degas n'en finit pas d'expérimenter les couleurs et les reflets, les matières et les opacités. Les vertus du pastel sont grandes : il permet d'aller vite ou, au contraire, de reprendre un geste, de s'attarder sur un tracé. Usant de hachures, de longues stries, de superpositions de fines couches, de juxtapositions de tons criards, l'artiste multiplie et réinvente ses approches du corps des femmes, saisi en dessous, au-dessus.

EDGAR DEGAS, *Le Tub*, 1886. Pastel, 60 × 83 cm.
Appartient à la *Suite de nus de femmes se baignant, se lavant, se séchant, s'essuyant, se peignant ou se faisant peigner*, exposée en 1886 à la huitième exposition impressionniste.

EDGAR DEGAS, *Danseuse au bouquet saluant sur la scène*, 1878. Pastel, 72 × 77,5 cm.

RENDRE VISIBLE L'INVISIBLE

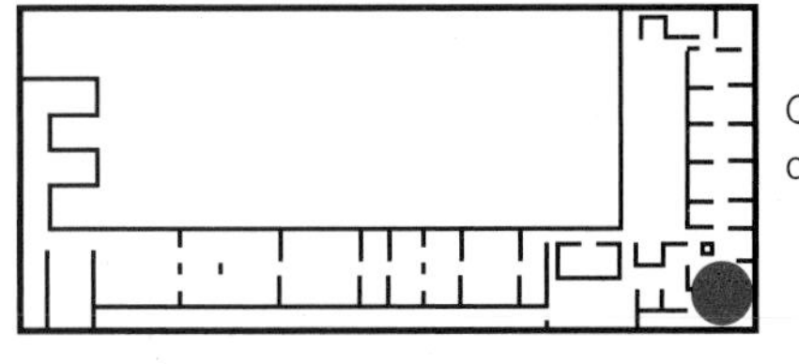

Ces œuvres sont situées au niveau supérieur, dans la salle 40.

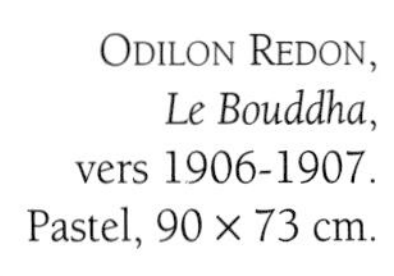

ODILON REDON,
Le Bouddha,
vers 1906-1907.
Pastel, 90 × 73 cm.

Page de droite :
LUCIEN LÉVY-DHURMER,
Méduse ou *Vague furieuse*,
1897. Pastel et fusain,
59 × 40 cm.

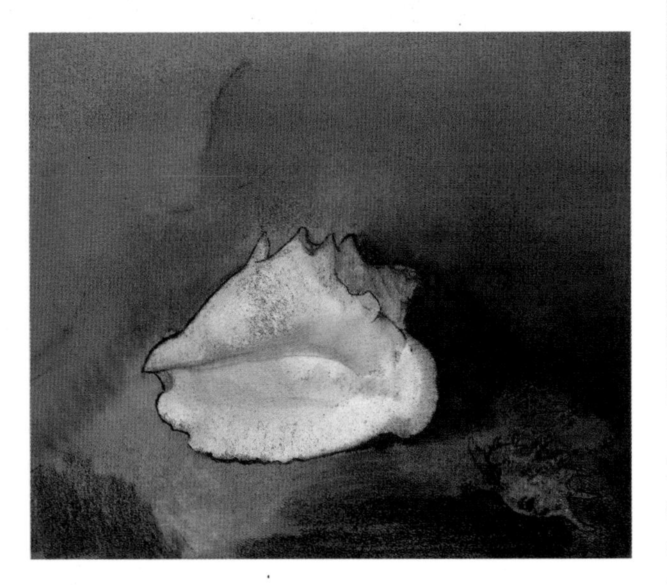

ODILON REDON,
La Coquille, 1912.
Pastel, 51 × 57,8 cm.

Ils préfèrent la vision à la vue. Leur art est teinté de spiritualité et plonge dans les croyances, les légendes et les mythes. Pour eux, la femme est souvent une créature fatale, un être vénéneux, furieux, un monstre de beauté maudite. Le monde des apparences s'efface devant l'univers onirique, les éléments s'animent, prennent forme humaine, deviennent figures de cauchemar. Symbolistes se nomment ces peintres, ces dessinateurs, ces artistes qui partagent une même recherche : rendre visible l'invisible, s'attacher au hasard, au rêve, à l'inconscient, à l'ailleurs. « N'importe où hors du monde », telle était la devise d'Edgar Poe, reprise à la fin du siècle.

Dhurmer
97

PHOTOGRAPHIE

SÉANCES DE POSE

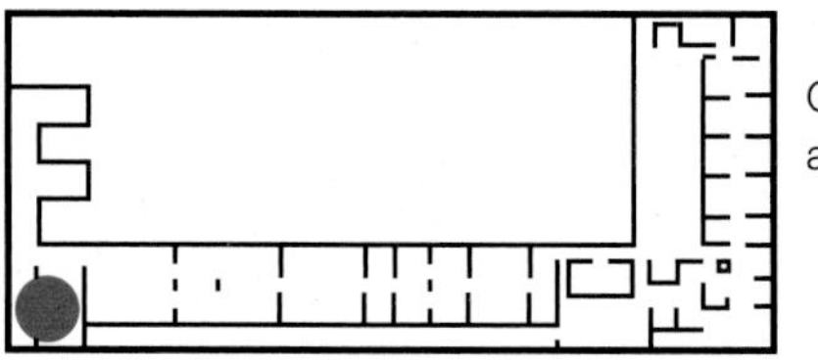

Ces œuvres sont exposées par roulement au niveau supérieur, dans la salle 49 (niveau 4).

FÉLIX TOURNACHON, dit NADAR,
George Sand (détail), 1864.
Épreuve sur papier albuminé.

FÉLIX TOURNACHON, dit NADAR,
Gustave Doré au drapé, 1856-1858.
Épreuve sur papier albuminé.

Nombreuses sont les personnalités du tout-Paris qui viennent poser dans l'atelier de Nadar. À quatre-vingts ans, ce dernier rassemble quelques récits tirés d'une longue expérience. En 1900, dans son ouvrage *Quand j'étais photographe*, il se souvient : « Si bonne est l'opinion de chacun sur ses mérites physiques que la première impression de tout modèle devant les épreuves de son portrait est presque inévitablement désappointement et recul (il va sans dire que nous ne parlons ici que d'épreuves parfaites). Quelques-uns ont l'hypocrite pudeur de dissimuler le coup sous une indifférente apparence, mais n'en croyez rien. Ils étaient entrés défiants, hargneux dès la porte et beaucoup sortiront furibonds. Ce mal est très difficile à conjurer ; le photographe amateur en souffrira tout comme le professionnel. »

Portraits par
FÉLIX TOURNACHON,
dit NADAR.

Ci-dessus,
de gauche à droite :
Franz Listz,
Alexandre Dumas père,
Sarah Bernhardt
et *Camille Corot*
(détails), vers 1860.
Épreuves
sur papier albuminé.

Ci-contre :
*Théophile Gautier
à la blouse blanche*
(détail), 1854-1855.
Épreuve
sur papier albuminé.

DES EMPREINTES LUMINEUSES

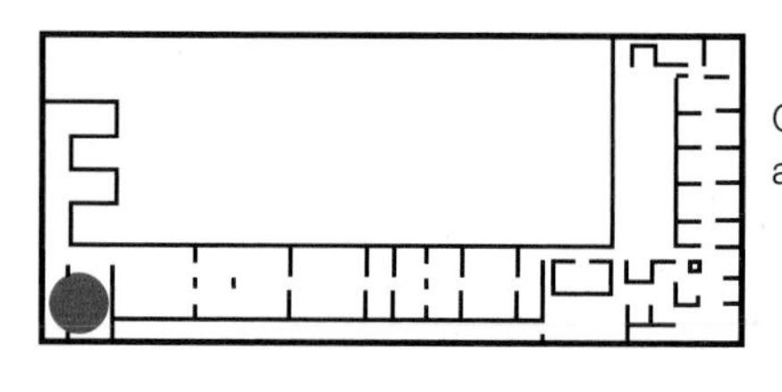

Ces œuvres sont exposées par roulement au niveau supérieur, dans la salle 49 (niveau 4).

JULIA MARGARET CAMERON, *Julia Duckworth, la mère de Virginia Woolf*, 1870. Épreuve sur papier albuminé, 39,8 × 25,5 cm.

LEWIS CARROLL, *Xie Kitchin endormie*, 12 juin 1873. Épreuve sur papier albuminé, 12 × 14 cm.

Page de droite : PAUL BURTY HAVILAND, *Jeune Fille assise devant une fenêtre, Florence Peterson*, 1909. Plaque autochrome, 21,5 × 16,4 cm.

La photographie est-elle un art ? Cette question aujourd'hui éculée s'est posée tout au long du XIXe siècle, à mesure qu'étaient pratiqués les premiers essais pour saisir et enregistrer de la lumière, pour impressionner une pellicule sensible, pour créer une image. À l'instar du peintre, le photographe compose et recompose son œuvre. Il varie et adapte ses objectifs et ses filtres, retouche, gratte et brosse ses épreuves, usant de charbon, de gomme bichromatée, d'encres grasses… Il recadre, estompe, efface ou révèle, joue du reflet et manie le flou, répartit sur le fond du blanc et du noir.

LE VIEUX PARIS

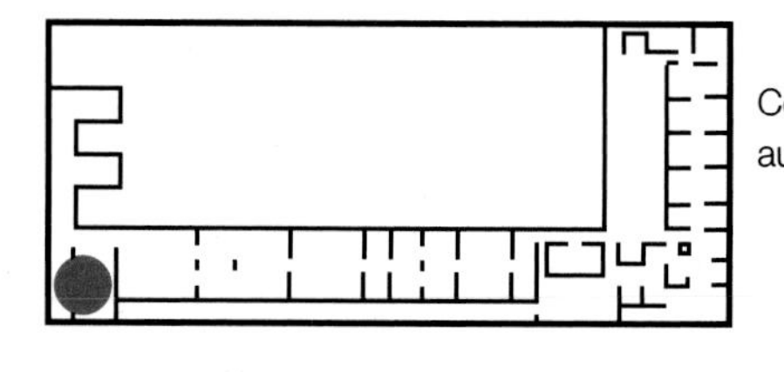

Ces œuvres sont exposées par roulement au niveau supérieur, dans la salle 49 (niveau 4).

En 1899, Eugène Atget entame sa carrière de photographe parisien : il achète un appareil à soufflet équipé d'un grand pied en bois, un appareil lourd, alors désuet. Tous les matins, il part en reportage dans les recoins de la ville, s'arrête dans les cours et les rues, devant les baraques, fixant le plus souvent l'image des quartiers pauvres et de leurs habitants, chiffonniers, cochers, bouquetières ou prostituées. Tous les soirs, il développe ses plaques de format 18 × 24 cm. Une enseigne au-dessus de sa porte signale qu'ici sont vendues des « photographies pour artistes ». Comme d'autres avant lui, Atget s'est fait archiviste, collecteur d'une immense documentation, arpenteur, piéton de Paris.

CHARLES MARVILLE,
Les Toits de Notre-Dame restaurés par Lassus et Viollet-le-Duc avec les statues et la nouvelle flèche,
vers 1858. Épreuve sur papier salé.

À gauche :
EUGÈNE ATGET,
Baraque de chiffonnier à Paris,
entre 1910 et 1914.
Épreuve sur papier gélatiné.

Page de droite :
EUGÈNE ATGET,
Rue Saint-Séverin.
Épreuve sur papier gélatiné.

HÔTEL
St SEVERIN

LE 28 DÉCEMBRE 1895

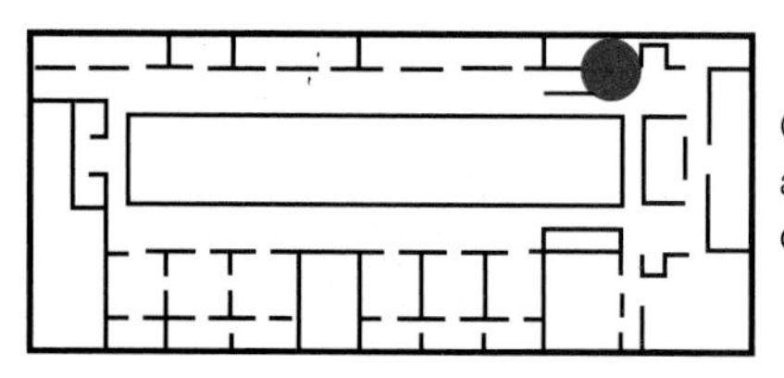

Ces œuvres sont exposées par roulement au niveau médian, dans une salle située à l'extrémité de la terrasse côté rue de Lille.

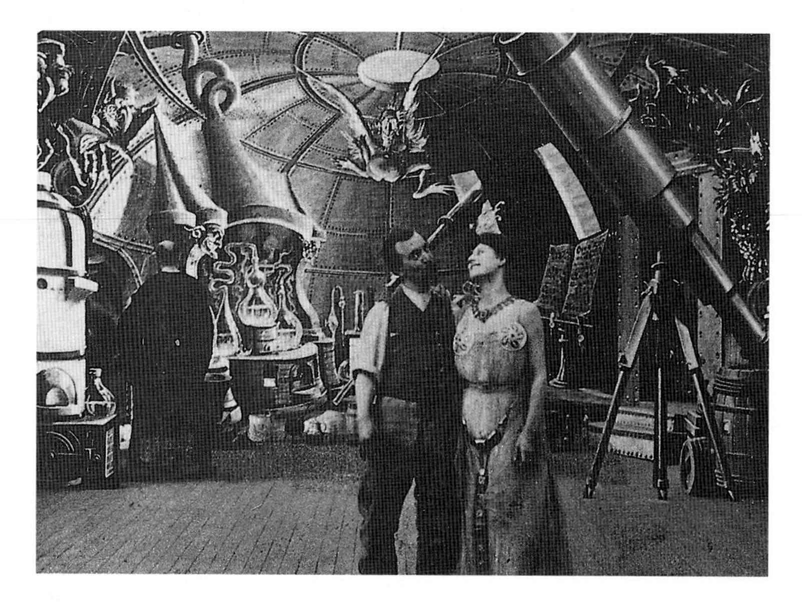

GEORGES MÉLIÈS dans l'un de ses films.

Page de droite : AUGUSTE et LOUIS LUMIÈRE, *La Place des Cordeliers à Lyon, tramways*, 1895. Photogramme.

Ce soir du 28 décembre 1895 figurent au programme du Grand Café, 14, boulevard des Capucines, dix « sujets actuels » : la sortie de l'usine Lumière à Lyon, la voltige, la pêche aux poissons rouges, le débarquement du congrès de photographie à Lyon, les forgerons, le jardinier, le repas, le saut à la couverture, la place des Cordeliers à Lyon et la mer. Dans le salon indien est donné un spectacle de cinématographe. Entrée : un franc. « Cet appareil, est-il précisé, inventé par MM. Auguste et Louis Lumière, permet de recueillir, par des séries d'épreuves instantanées, tous les mouvements qui, pendant un temps donné, se sont succédé devant l'objectif, et, de reproduire ensuite ces mouvements en projetant, grandeur naturelle, devant une salle entière, leurs images sur un écran. » Parmi les quelque trente spectateurs, un certain Georges Méliès, alors directeur du théâtre Robert-Houdin, ne sera pas le moins enthousiaste.

ABADIE

ABADIE

ARTS DÉCORATIFS

PASTICHES ET MÉLANGES

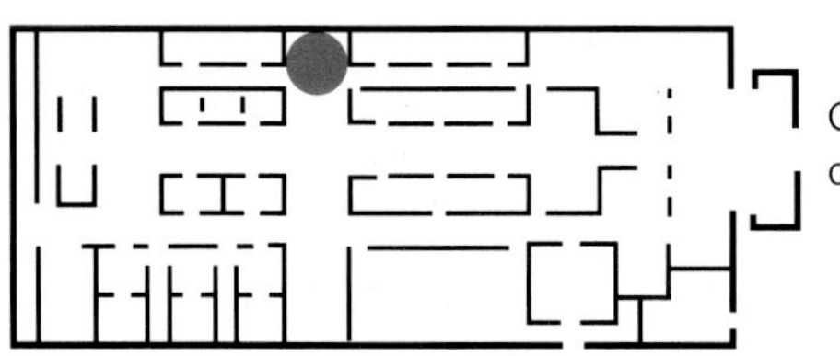

Ces œuvres sont situées au rez-de-chaussée, dans les salles 9 et 10.

CHRISTOFLE & Cie,
plateau, vers 1870.
Cuivre galvanique argenté
et en partie doré, d : 29,6 cm.
Ce plateau appartient à un ensemble d'orfèvrerie reproduisant en fac-similé le trésor d'Hildesheim.

Ébénistes, bijoutiers et joailliers, faïenciers, émailleurs et sculpteurs, ceux qui œuvrent au décor et à l'ameublement des demeures du second Empire, considèrent le passé comme une valeur sûre. À cette attention pour une mémoire avant tout nationale s'ajoute le goût pour un exotisme tempéré qui, parfois, se reflète dans le recours aux matières et aux bois précieux. Tandis que l'un se tourne vers le Moyen Âge et copie l'orfèvrerie romane, l'autre découvre et interprète les leçons des céramistes de la Renaissance, en particulier d'un certain Bernard Palissy. Le temps est à l'allusion, à la référence, au pastiche.

En haut :
François-Désiré Froment-Meurice,
aiguière avec son plateau, élément
de la toilette de la duchesse de Parme, 1847.
Argent en partie doré,
émail peint sur cuivre, h : 41,3 cm.

Ci-dessus :
Charles-Jean Avisseau (céramiste)
et Guillaume de Rochebrune (dessinateur),
coupe et bassin, 1855. Faïence fine
à décor polychrome modelé et rapporté,
h (coupe) : 34,5 cm, d (bassin) : 51,5 cm.

Ci-contre :
Charles-Guillaume Diehl (ébéniste),
Émile Guillemin (sculpteur)
et Jean Brandely (dessinateur industriel),
bas d'armoire, 1867.
Maï-du pommelé, acajou du Honduras,
citronnier de Saint-Domingue,
marqueterie de Sycomore, buis
et Saint-Martin rouge, bâti de chêne, bronze
et cuivre galvanique dorés, h : 152 cm.

« ARCHITECTE D'ART »

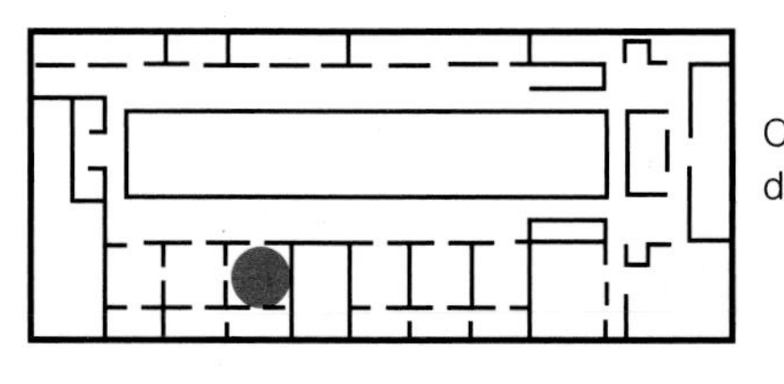

Ces œuvres sont situées au niveau médian, dans les salles 61 et 62.

HECTOR GUIMARD,
vase et socle, 1905-1907.
Bronze, h : 135,5 cm.

HECTOR GUIMARD,
porte à deux vantaux provenant d'un magasin d'armurier à Angers, 1897. Noyer, orme, fer forgé et cuivre, h : 364 cm.

Afin d'offrir une définition à la fois plus précise et plus large de son activité, Hector Guimard se choisit un nom de baptême unique : il est « architecte d'art », œuvre à l'extérieur ou à l'intérieur d'un édifice, passe d'une porte à une banquette, prenant pour module la structure végétale avec ses courbes et ses contre-courbes. Il reste aujourd'hui comme l'un des acteurs les plus célèbres de ce mouvement international qui fait ses premières armes au milieu des années 1890 : l'Art nouveau. Mais à cette expression l'architecte en préfère une autre, le « style Guimard », qui est retenue au début du siècle suivant pour désigner ses créations à Angers, à Lille, à Versailles, aux entrées du métropolitain parisien…

HECTOR GUIMARD,
banquette coffre, 1897.
Jarrah et tilleul, 89 × 151 cm.

UN ART NOUVEAU

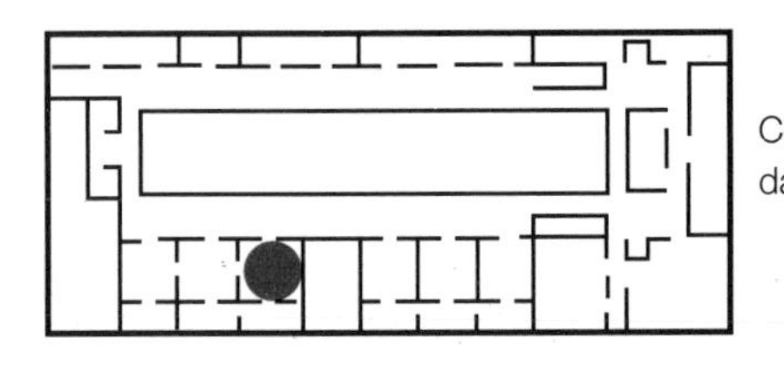

Ces œuvres sont situées au niveau médian, dans les salles 61 et 62.

En haut :
René Lalique, objet décoratif en forme de pavot, 1897. Or, argent, diamants brillantés, émail cloisonné et à jour, h : 7,5 cm.

Ci-dessus :
René Lalique, pendentif en forme de libellules, 1903-1905. Or, émail translucide cloisonné et à jour, brillants et aigue-marine, h : 6,9 cm.

Ci-contre :
Louis Majorelle, fauteuil, 1898. Noyer, h : 110 cm.

Ci-dessous :
René Lalique, bonbonnière, 1904. Or, émail cloisonné et à jour, cabochons d'opales, d : 5,5 cm.

À la fin du XIXe siècle, les amateurs français de cet art tout nouveau, qui allait bientôt être appelé l'Art nouveau, parlaient d'un « art moderne », d'un « style moderne », pour vanter les beautés de la ligne d'un fauteuil ou les charmes raffinés d'un bijou. Quant aux détracteurs, ils usaient de termes plus imagés, du « style os de mouton » au « style rastaquouère » et au style « ténia », « anguille » ou « nouille », pour qualifier les arabesques et les sinuosités qui se déployaient dans toutes les techniques.

RENÉ LALIQUE,
broche, 1899-1903.
Or jaune et rose, émail translucide cloisonné, à jour et opaque, trois tourmalines, h : 8,2 cm.

LE VERRE, LA MER ET L'ÉMAIL

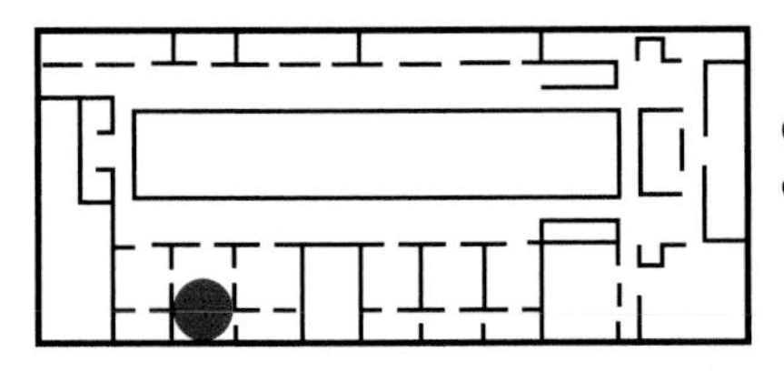

Ces œuvres sont situées au niveau médian, dans la salle 63.

ÉMILE GALLÉ,
pique-fleurs, vers 1878-1880.
Verre « clair de lune », craquelé,
à applications, décor peint, émaillé et doré,
monture en bronze doré, h : 24 cm.

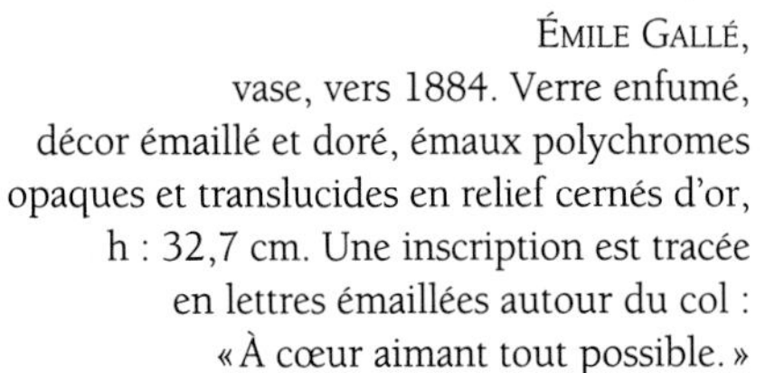

ÉMILE GALLÉ,
vase, vers 1884. Verre enfumé,
décor émaillé et doré, émaux polychromes
opaques et translucides en relief cernés d'or,
h : 32,7 cm. Une inscription est tracée
en lettres émaillées autour du col :
« À cœur aimant tout possible. »

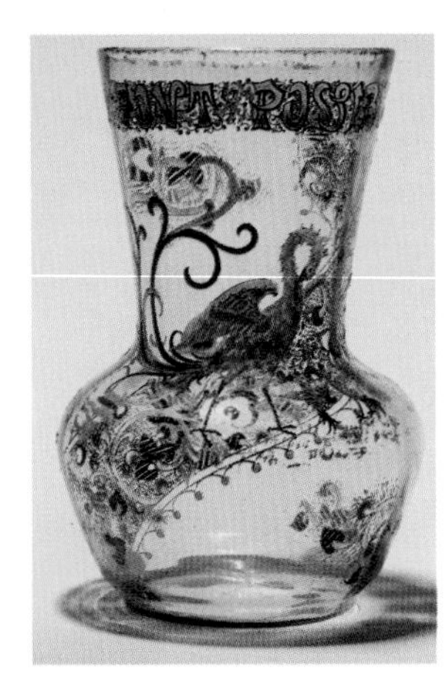

La mer, la lumière pénétrant dans une chambre sont autant d'images qui, pour Marcel Proust, évoquent les matières et les effets de verres d'Émile Gallé : « Au fur et à mesure que la saison s'avança, changea le tableau que j'y trouvais dans la fenêtre. D'abord il y faisait grand jour, et sombre seulement s'il faisait mauvais temps ; alors, dans le verre glauque et qu'elle boursouflait de ses vagues rondes, la mer, sertie, entre les montants de fer de ma croisée comme dans les plombs d'un vitrail, effilochait sur toute la profonde bordure rocheuse de la baie des triangles empennés d'une immobile écume linéamentée avec la délicatesse d'une plume ou d'un duvet dessinés par Pisanello, et fixés par cet émail blanc, inaltérable et crémeux qui figure une couche de neige dans les verreries de Gallé » (*À l'ombre des jeunes filles en fleurs*, 1918).

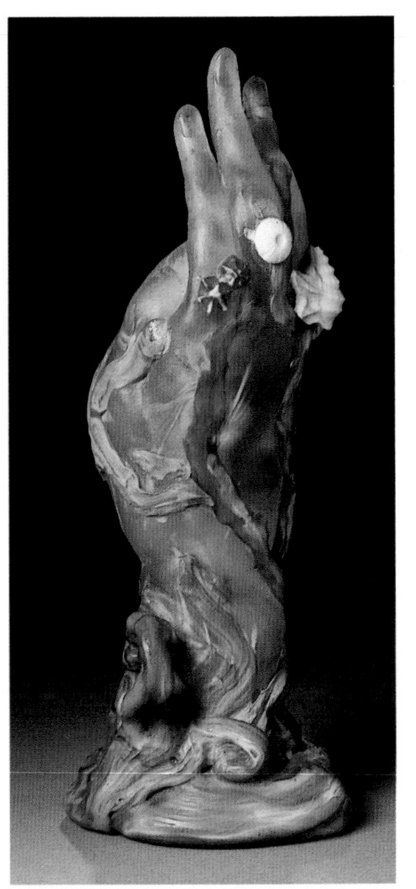

ÉMILE GALLÉ,
« La main aux algues et aux coquillages »,
1904. Cristal gravé, à inclusions
et applications, h : 33,4 cm.

JUSQU'AU MOINDRE DÉTAIL

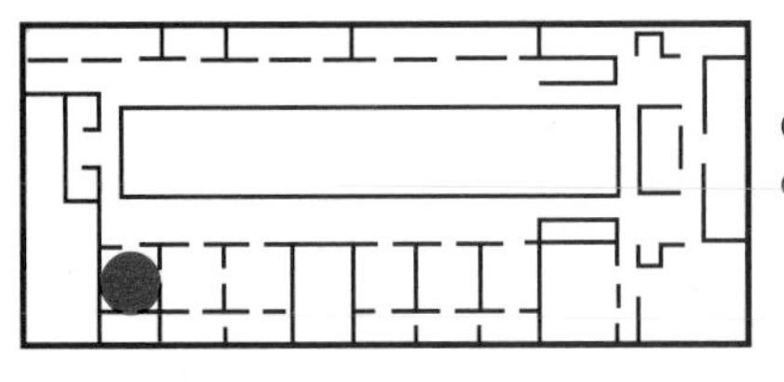

Ces œuvres sont situées au niveau médian, dans les salles 65 et 66.

HENRY VAN DE VELDE,
écritoire, modèle créé en 1898-1899.
Chêne, bronze doré, cuivre et cuir, 128 × 268 cm.

ALEXANDRE CHARPENTIER,
salle à manger de la villa du banquier Adrien Bénard,
à Champrosay, 1900-1901.
Acajou, chêne, peuplier et bronzes dorés, h : 346 cm.
La fontaine et les carreaux de grès émaillé
ont été exécutés par ALEXANDRE BIGOT.

Aucune frontière ne doit séparer les arts « nobles », plastiques, et les arts « appliqués », décoratifs, répète le peintre et architecte belge Van de Velde dans ses articles-manifestes des années 1890, d'« Une prédication d'art » à un « Déblaiement d'art ». Un art nouveau réclame une société nouvelle. De même qu'il faut bannir toute hiérarchie entre les arts, de même il faut détruire la séparation entre les classes, produire un art fait par et pour le peuple et réfuter le statut même de l'artiste : il est absurde de parler d'inspiration, écrit-il, il ne s'agit que d'une question de métier. La fusion de l'art et de l'artisanat, la recherche d'un « art total » passionnent aussi Charpentier, qui passe de l'ébénisterie à la sculpture, de la ciselure au gaufrage…

PIÈCES UNIQUES, MODÈLES INDUSTRIELS

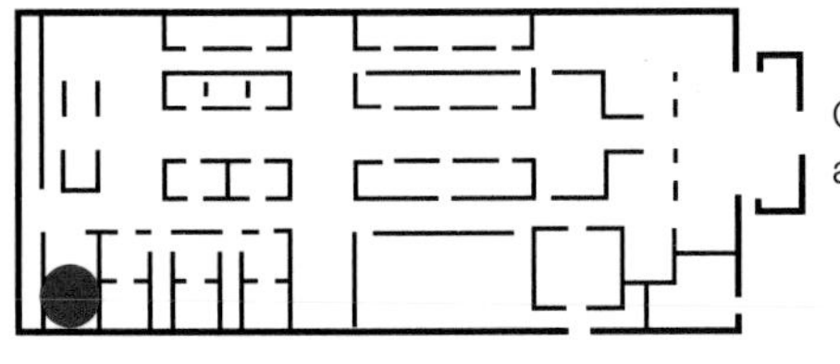

Ces œuvres sont situées dans les salles 25 à 27 *bis*, accessibles par la salle 24, au rez-de-chaussée.

Au milieu du siècle, à Londres, le mouvement Arts and Crafts plonge dans un passé médiéval et prône la diffusion industrielle de créations artisanales ; Pugin en est l'une des figures majeures. À la fin du siècle, à Vienne, la firme Thonet Frères fabrique en grand nombre et à petit prix tout mobilier léger, solide et confortable pour cafés et hôtels. Chaises, fauteuils, canapés et étagères sont en bois courbé à la vapeur et en contreplaqué. Faits en série, les éléments sont démontables, et une étiquette porte le conseil suivant : « Pour conserver nos meubles en bon état, prière de resserrer les vis et écrous trois ou quatre fois par an. » Quarante-cinq millions de chaises n° 14 furent vendus.

AUGUSTE WELBY PUGIN,
table, vers 1846-1850.
Sapin et laiton, h : 70 cm.

À gauche :
Firme Thonet Frères,
chaise, modèle créé vers 1905.
Hêtre courbé, vernis en noir,
cuir teinté et laiton, h : 98,5 cm.

Firme Thonet Frères,
chaise n° 14, modèle dessiné en 1849,
acquis par le café Daum, à Vienne, en 1850,
et fabriqué entre 1881 et 1890.
Hêtre courbé, teinté acajou, h : 90 cm.

En bas, à gauche :
Firme Thonet Frères,
chaise n° 56, modèle créé en 1885.
Hêtre courbé, vernis en noir,
h : 90 cm.

Ci-dessous :
Carlo Bugatti,
chaise, vers 1902.
Bois gainé de parchemin,
h : 97 cm.

GLASGOW, VIENNE, CHICAGO

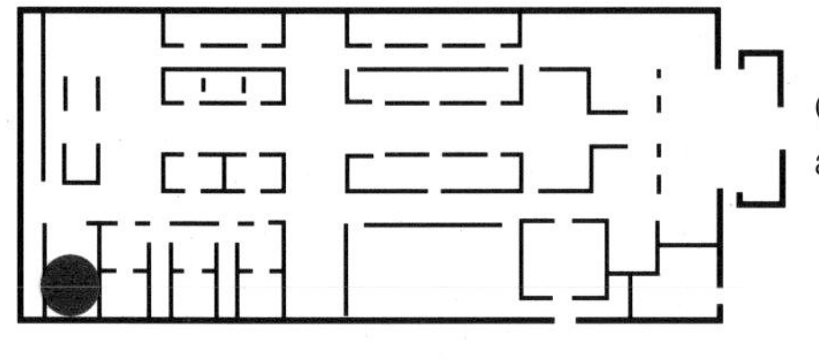

Ces œuvres sont situées dans les salles 25 à 27 *bis*, accessibles par la salle 24, au rez-de-chaussée.

Charles Rennie Mackintosh, commode et miroir de toilette, 1904. Bois laqué blanc, nacre et ébène, verre et laiton argenté, h (totale) : 179 cm.

À droite :
Frank Lloyd Wright,
chaise, vers 1904.
Chêne teinté et cuir, h : 101 cm.

Ci-dessous :
Josef Hoffmann,
fauteuil à dossier inclinable,
modèle créé pour la firme
Jacob & Josef Kohn,
vers 1908. Hêtre courbé,
contreplaqué perforé,
vernis façon acajou et laiton,
h : 110 cm.

Charles Rennie Mackintosh travaille à Glasgow ; il fond dans les espaces qu'il crée le mobilier qu'il conçoit. À Vienne, Josef Hoffmann est l'un des fondateurs des Wiener Werkstätte, une association qui produit tous meubles et objets quotidiens. À l'Exposition universelle de Chicago, en 1893, Frank Lloyd Wright découvre l'art japonais. Dans ces trois villes et par ces trois architectes-décorateurs-designers, l'Art nouveau prend une tournure inédite : aux ondulations qui règnent en France ou en Belgique répondent ici les lignes droites et brisées.

DES MURS-COULEURS

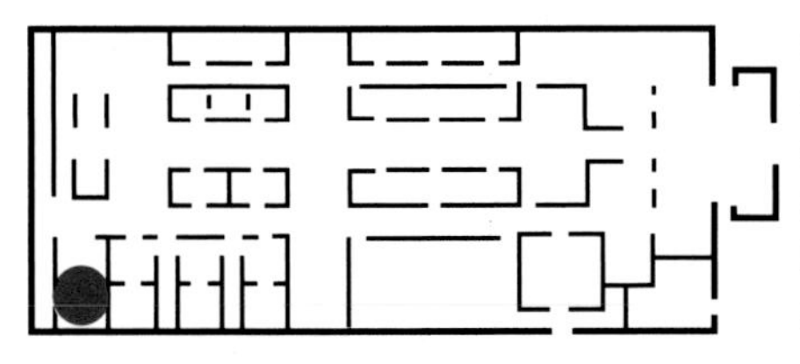

Ces œuvres sont situées dans les salles 25 à 27 *bis*, accessibles par la salle 24, au rez-de-chaussée.
La salle des fêtes (51) est située au niveau médian.

WILLIAM MORRIS et WILLIAM DE MORGAN,
panneau de revêtement mural.
Décor de Membland Hall,
composé de huit panneaux, vers 1876-1877.
Soixante-six carreaux de faïence émaillée, 163 × 90 cm.

Ci-dessus et page de droite :
ODILON REDON,
panneaux de revêtement mural.
Décor de la salle à manger
du château de Domecy,
composé de quinze panneaux,
1899-1901. Peinture sur toile,
247 × 163 cm.

Tendre le mur de laine, déployer un motif composé de carreaux de faïence, disposer des panneaux au-dessus de boiseries, la démarche est similaire : prêter au cadre de vie la même importance que l'on peut accorder à une œuvre de chevalet. Mais tandis qu'Odilon Redon est défini par son statut d'artiste, William Morris a fondu les distinctions ; peintre, et de surcroît poète, il est à la tête d'une firme qui diffuse d'innombrables exemples d'art décoratif.

WILLIAM MORRIS & C°,
trois tentures ornées d'oiseaux et de motifs floraux (détails),
modèles créés en 1878. Tissage de laine.

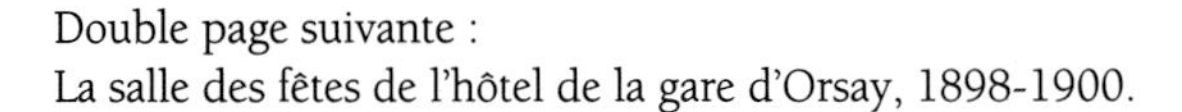

Double page suivante :
La salle des fêtes de l'hôtel de la gare d'Orsay, 1898-1900.

INDEX DES ŒUVRES

INDEX DES ARTISTES

Seuls sont indexés les noms d'artistes dont les œuvres sont illustrées.

Achevé d'imprimer août 2006
par les Presses de Bretagne
Dépôt légal septembre 2006